Introduction au Shiatsu

Ray Pawlett

MODUS VIVENDI

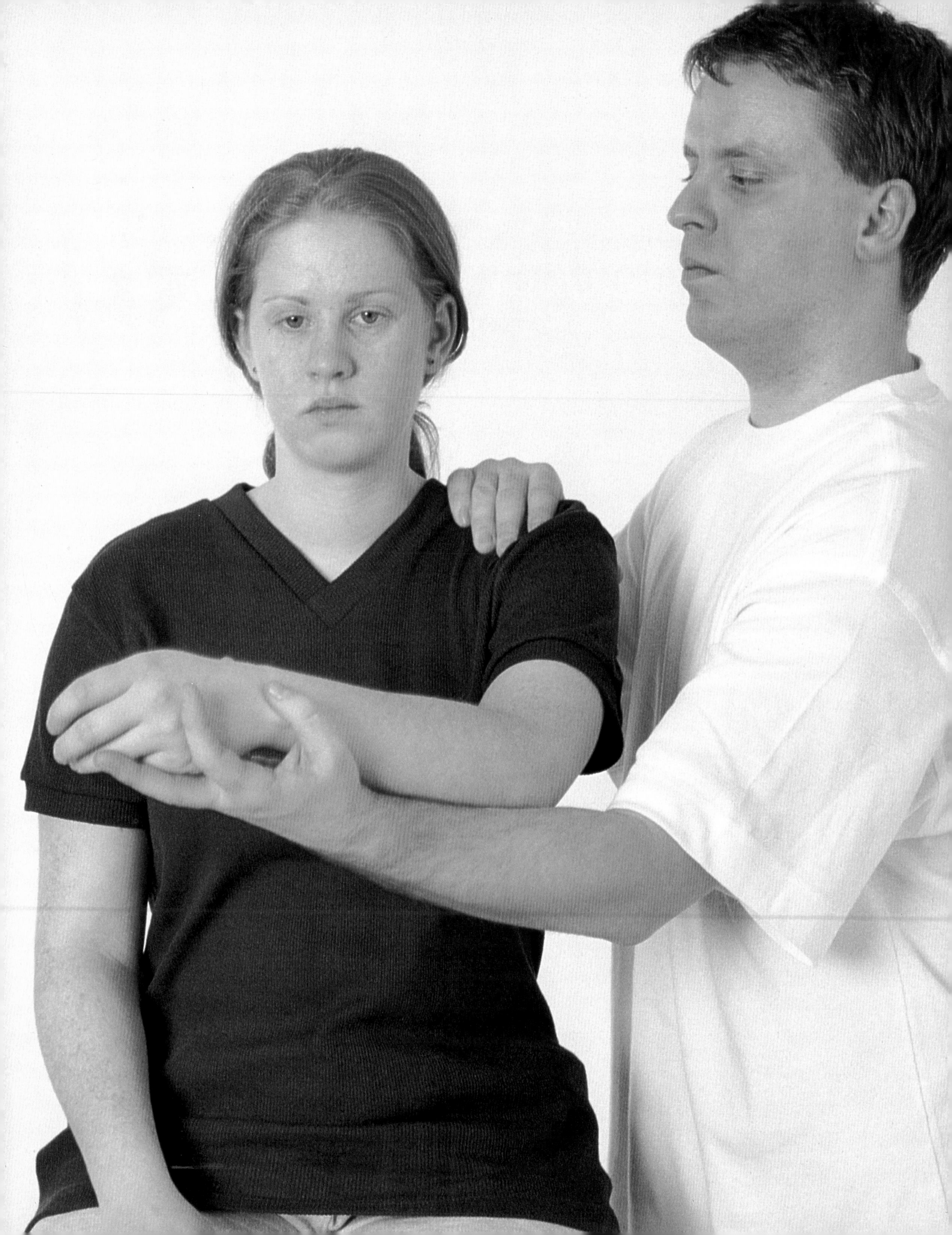

Introduction au Shiatsu

Ray Pawlett

Traduit par
Claudine Azoulay

MODUS VIVENDI

Paru sous le titre original de : Shiatsu - A Beginner's Guide

LES PUBLICATIONS MODUS VIVENDI INC.
3859, autoroute des Laurentides
Laval (Québec)
Canada
H7L 3H7

Directrice de la publication : Sarah King
Assistante de la publication : Sarah Harris
Chargée de projet : Clare Haworth-Maden
Conception graphique : 2H Design
Design de la couverture : Marc Alain
Infographie : Modus Vivendi
Traduction : Claudine Azoulay
Photographie : Colin Bowling

Dépôt légal, 4e trimestre 2002
Bibliothèque nationale du Québec
Bibliothèque nationale du Canada
Bibliothèque nationale de Paris

ISBN : 2-89523-118-4

Canada Nous reconnaissons l'aide financière du gouvernement du Canada par l'entremise du Programme d'aide au développement de l'industrie de l'édition (PADIÉ) pour nos activités d'édition.

Gouvernement du Québec — Programme de crédit d'impôt pour l'édition de livres — Gestion SODEC

Cet ouvrage ne vise en aucun cas à remplacer une opinion médicale. Si vous êtes malade ou avez besoin de soins médicaux, vous devriez consulter un médecin ou un thérapeute qualifié. Le contenu de ce livre ne confère pas au lecteur la qualité de thérapeute et quiconque effectue une manipulation le fait à ses risques et périls.

Table des matières

Introduction 6
- Qu'est-ce que le shiatsu ? 7
- Une approche holistique 8
- Les différents styles de shiatsu 9
- Unités de mesure 10
- Le *ki* 12
- Le yin et le yang 14
- Qu'est-ce qu'un méridien ? 15
- Qu'est ce qu'un *tsubo* ? 16

La théorie des cinq éléments 17

Notions élémentaires d'anatomie 26
- Brève description des organes internes 27
- La fonction des organes en shiatsu 30

Éléments et personnalités 36

Les méridiens 48

Le diagnostic en shiatsu 65

La concentration mentale 70

La préparation au traitement 71

Les techniques de base 82

La pratique du shiatsu 90

Applications courantes 119

Remarques complémentaires 123

Le contact 124

Glossaire 125

Index 126

Remerciements 128

Sources des illustrations 128

Introduction

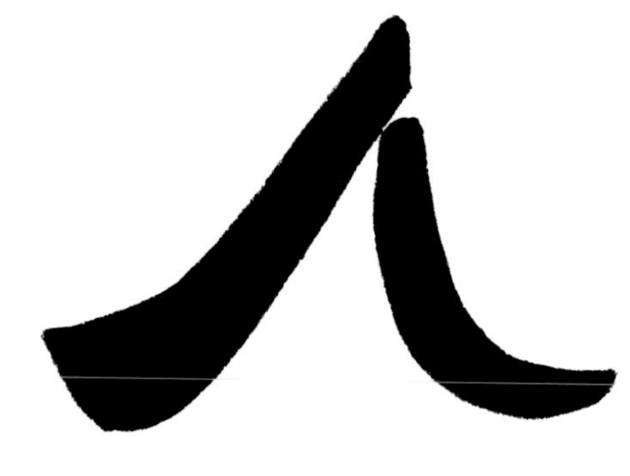

Au cours de mon travail dans le domaine des disciplines orientales, telles le shiatsu ou le taï chi, j'ai rencontré à maintes reprises des gens que le sujet intéresse mais qui n'ont pas encore « sauté le pas ». Ils savent parfois d'instinct toute la richesse de ce savoir mais se refusent à explorer un univers pourtant fascinant et qui permet la découverte de soi. Pour quelle raison ne tentent-ils pas l'expérience ? Exactement pour la même raison qu'ils devraient le faire : par exemple, ceux qui prétextent qu'ils sont « trop occupés » pourraient gérer leur emploi du temps différemment grâce à quelques séances de shiatsu.

La raison profonde d'une telle attitude réside habituellement dans la peur de l'inconnu. L'un des objectifs de cet ouvrage est précisément de fournir de l'information dans un style simple afin d'aider à mieux comprendre ce domaine. Il s'adresse donc aux personnes qui aimeraient commencer un traitement ou un cours de shiatsu mais qui souhaitent en savoir davantage avant de se lancer dans l'aventure.

Le livre vous sera également utile dans les premières étapes d'un cours de shiatsu. À ce stade, la plupart des étudiants vont essayer d'assimiler un maximum d'informations. Nous espérons que cet ouvrage leur fournira une lecture facile qui les aidera dans leur formation.

L'ouvrage est divisé en quatre sections : théorie, analyse, pratique et réflexion, qui constituent les étapes habituelles de tout apprentissage. Vous devrez commencer par les connaissances de base, soit la théorie. Par l'analyse et le diagnostic, vous devrez ensuite comprendre comment appliquer ce savoir à la personne que vous allez traiter. Une fois le diagnostic posé, il vous faudra mettre vos connaissances en pratique. Vous devrez enfin réfléchir à votre travail afin d'en tirer des conclusions et de vous améliorer le cas échéant.

Bonne chance !

Qu'est-ce que le shiatsu ?

Rien qu'en feuilletant ce livre, on peut avoir un aperçu de ce qu'est le shiatsu. Réfléchissez un instant puis essayez de concrétiser l'idée que vous vous faites de cette activité. Vous pouvez effectuer cet exercice mentalement ou par écrit. L'important, c'est de restituer fidèlement la définition que vous avez à l'esprit en cet instant même.

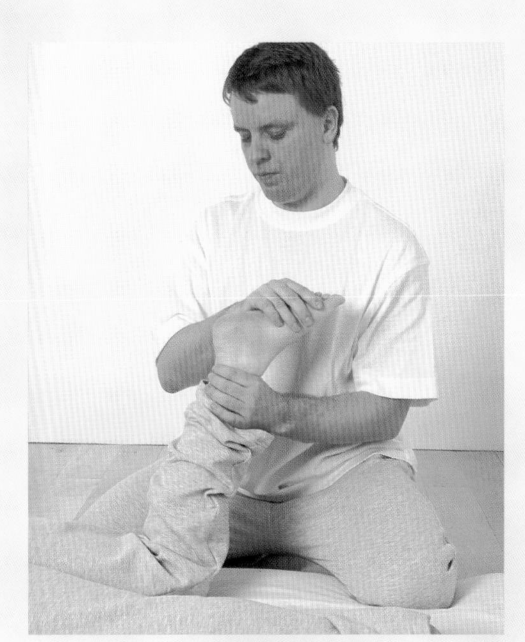

Il est plus facile d'étudier un sujet si l'on s'est d'abord fixé des objectifs. La première étape de l'apprentissage est donc de déterminer ce que cette discipline représente pour nous. Par exemple, si l'on demandait à Einstein, Stephen Hawking et le premier passant dans la rue de nous donner leur définition de la science, chacun en proposerait une différente. Aucune d'entre elles ne serait fausse ; nous avons seulement tous un point de vue différent.

Le shiatsu se définit couramment comme de « l'acupuncture sans aiguilles ». En effet, le terme japonais *shiatsu* signifie littéralement « pression du doigt ». On se sert ici de la pression du doigt pour stimuler la circulation de l'énergie chez le receveur et favoriser ainsi le processus de guérison.

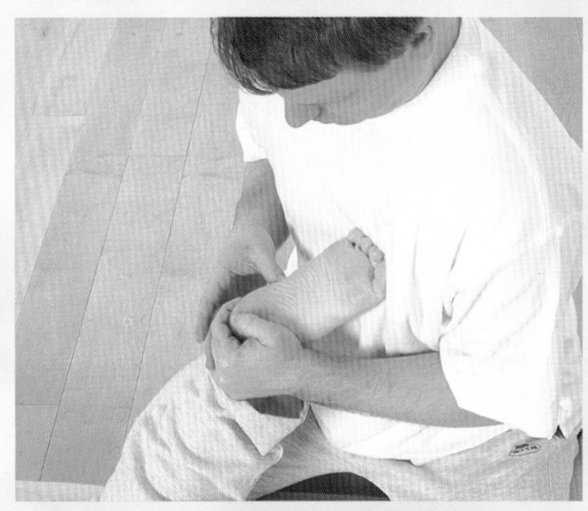

Cette définition est juste, quoique restrictive. En réalité, on peut également se servir de ses mains, de ses pieds, de ses coudes, de ses avant-bras et de ses genoux et on peut effectuer des touchers, des pressions, des étirements, des rotations ou même bercer le receveur.

Pour effectuer ces manœuvres avec efficacité, il vous faudra acquérir beaucoup de sensibilité et d'assurance. Si vous êtes incapable de percevoir les changements au fur et à mesure qu'ils s'opèrent, vous n'aurez pas la moindre idée du résultat éventuel du traitement. Lorsque vous pratiquez le shiatsu, vos mouvements doivent être fluides, sinon le flux énergétique sera interrompu.

Il vous faudra également développer votre énergie personnelle, votre *ki*. Comment pourriez-vous provoquer des changements chez quelqu'un d'autre si vous ne pouvez pas vous changer vous-même ? Sensibilité, équilibre et énergie n'existent pas tant que vous n'êtes pas bien « ancré ». Pour avoir des chances d'aider les autres, il faut soi-même reposer sur des bases solides.

Les qualités que vous allez développer par l'étude du shiatsu ne se limitent pas là. Par exemple, comment pourriez-vous soigner quelqu'un sans une part d'empathie ? La pratique du shiatsu constitue une source constante d'épanouissement et de savoir et comme tel, on peut le considérer comme une voie spirituelle d'une immense richesse.

Une approche holistique

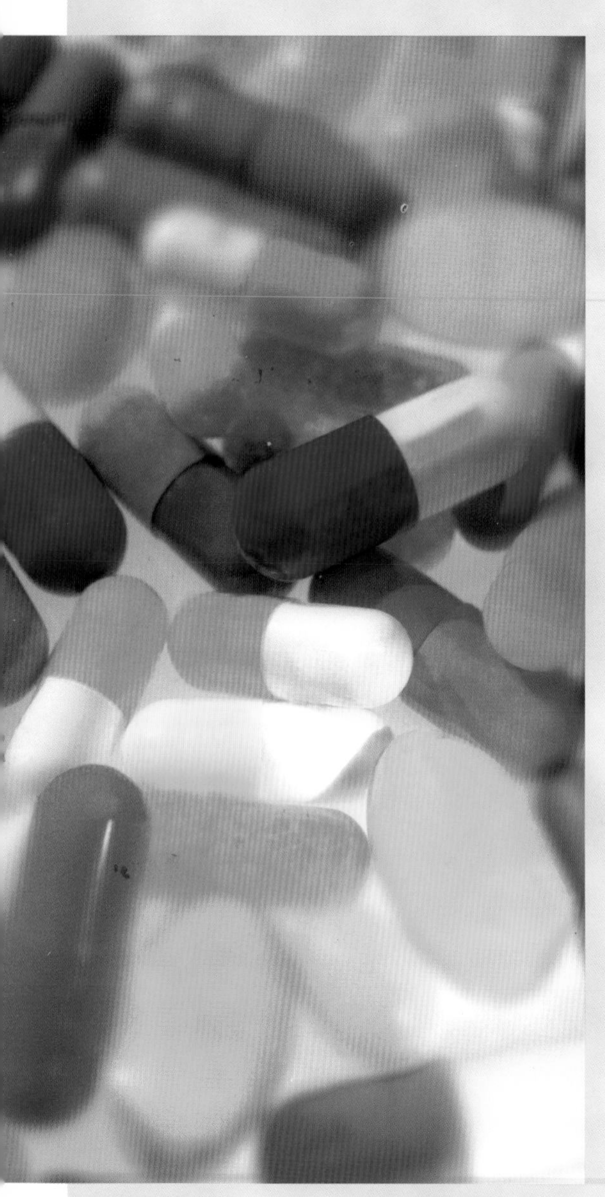

Contrairement aux analgésiques, le shiatsu n'a aucun effet secondaire.

Si vous avez mal à la tête, quel est votre premier réflexe ? Celui de prendre un comprimé d'analgésique et de continuer tant bien que mal ce que vous avez à faire en attendant un soulagement éventuel. Cette réaction est caractéristique d'un mode de pensée généralisé dans lequel on soigne le symptôme et non la source du problème.

Le fait de traiter l'effet et non la cause constitue une solution temporaire. En effet, à force de masquer les symptômes au moyen d'analgésiques, vous risquez d'ignorer un problème sous-jacent qui aurait pu être traité avant même de s'aggraver. De plus, les médicaments risquent eux-mêmes de provoquer une accumulation de toxines dans votre organisme.

Un spécialiste du shiatsu essaiera toujours de voir au-delà de l'effet observé et de déceler l'origine du problème. Son traitement a pour but de retirer les couches l'une après l'autre pour en arriver à traiter le mal en profondeur.

Il parviendra à un tel résultat en améliorant la circulation du *ki*. Si elle n'est pas entravée, celle-ci permettra au corps, à l'esprit et à l'âme d'être en bonne santé. Puisqu'il n'a recours à aucune drogue ni à aucun médicament, le praticien de shiatsu évite un apport de toxines dans l'organisme, ce qui constitue un atout supplémentaire pour le receveur.

Dans sa forme idéale, le shiatsu peut favoriser la guérison en soignant la personne à différents niveaux. Le receveur a ainsi l'occasion de régler certains aspects de sa vie auxquels il aurait eu difficilement accès par le biais des méthodes de soin conventionnelles occidentales.

De ce point de vue, je considère qu'un praticien de shiatsu travaille de concert avec les médecins et non contre eux. Ni l'un ni l'autre ne peuvent se remplacer.

Les différents styles de shiatsu

Lorsque vous étudiez ou pratiquez le shiatsu, vous pénétrez dans un champ de connaissances dont les racines remontent au dix-septième siècle. Le shiatsu est originaire de la Chine. Au Japon, ce n'est qu'au milieu des années cinquante qu'il a été reconnu officiellement comme thérapie par le Ministère de la santé.

Effectivement, il y a trois cents ans, les médecins japonais devaient étudier un système appelé « anma », basé sur les canaux énergétiques et les points d'acupuncture. Le gouvernement japonais avait cependant imposé de telles restrictions à ce traitement d'*anma* qu'on lui a donné un nouveau nom, le shiatsu.

Le shiatsu possède évidemment différentes racines et plusieurs styles. En ce sens, il peut se comparer à la musique. L'histoire de la musique est longue et il en existe de nombreux genres, selon le lieu, l'époque et les tendances de l'heure. Que l'on écoute du Bach ou du rock, c'est toujours de la musique, qu'elle corresponde ou non à notre goût personnel.

Le shiatsu peut se pratiquer de manière très traditionnelle, selon la pensée orientale, ou d'une façon plus occidentale, en tenant compte de disciplines scientifiques modernes comme la physiologie et la psychologie. Aucune des techniques n'est meilleure que l'autre ; elles sont simplement différentes.

Un thérapeute de shiatsu ne devrait pas se limiter à une seule méthode de travail car il arrive souvent que la pratique ait recours à l'utilisation de connaissances ou de techniques associées à plus d'un style. Ce qui compte, c'est que le traitement soit cohérent et fluide et non que le praticien suive à la lettre les idées de quelqu'un d'autre.

Voici les trois styles de shiatsu les plus couramment utilisés.

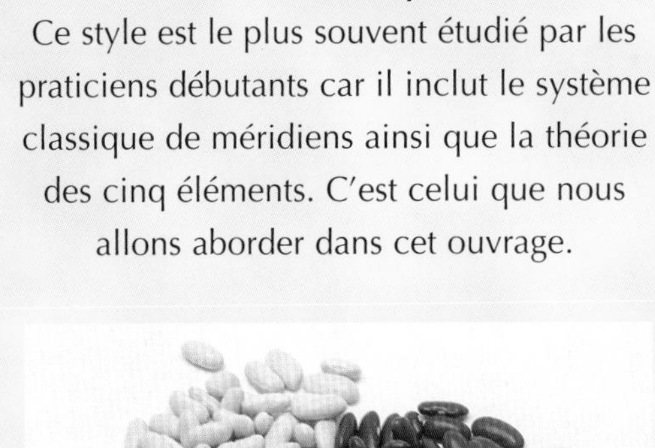

Le shiatsu des cinq éléments

Ce style est le plus souvent étudié par les praticiens débutants car il inclut le système classique de méridiens ainsi que la théorie des cinq éléments. C'est celui que nous allons aborder dans cet ouvrage.

Le shiatsu macrobiotique

Les fondateurs reconnus du shiatsu macrobiotique sont George Ohsawa, Michio Kushi et Shizuko Yamamoto. Ce système fait appel aux canaux classiques d'acupuncture et il inclut des soins effectués les pieds nus. Il repose également sur un régime alimentaire spécial composé d'aliments naturels non transformés et sur un mode de vie équilibré.

Le zen shiatsu

Shizuto Masunaga a mis au point le zen shiatsu, qui fait appel à un système élargi de méridiens et au principe de tonification *kyo-jitsu*. Selon ce principe, le praticien doit pouvoir ressentir la qualité de l'énergie présente dans un *tsubo* pour être en mesure de la traiter. Le zen shiatsu préconise l'emploi de certaines parties du corps plutôt que le recours à des points individuels.

Unités de mesure

En shiatsu, il nous faut trouver des points bien précis. Pour les localiser, il a donc fallu établir un système de mesure de distance. Une fois que vous vous serez habitué à suivre l'énergie le long d'un méridien, vous aurez moins besoin de ce système puisque vous serez capable de trouver les points rien qu'au toucher. Avant d'en arriver là, cependant, vous devrez être capable de les repérer avec précision pour savoir ce que vous devez y ressentir.

Imaginez-vous par exemple que vous tentez de localiser le méridien de la vessie. Sur une femme de taille moyenne, le méridien se situe à environ 45 mm (2 po) du centre de la colonne vertébrale. Cette mesure approximative semble correcte pour une femme de taille moyenne mais elle n'a aucun sens pour un enfant ou pour un homme de forte corpulence.

Pour convenir à des personnes de toute taille, on a mis au point un système basé sur une unité de mesure de distance appelée **cun** (prononcer « sone »). Un *cun* correspond à la plus grande largeur de votre pouce. Si votre pouce est déformé, vous trouverez ci-contre d'autres mesures courantes qui, dans tous les cas, seront relatives à la taille de la personne mesurée.

L'avantage de ce système, c'est que vous pouvez dire que le méridien de la vessie se trouve à 1,5 *cun* de la colonne vertébrale plutôt qu'à environ 45 mm chez une femme, à 35 mm chez un enfant et à 50 mm chez un homme.

Exemples courants de mesures en *cun*

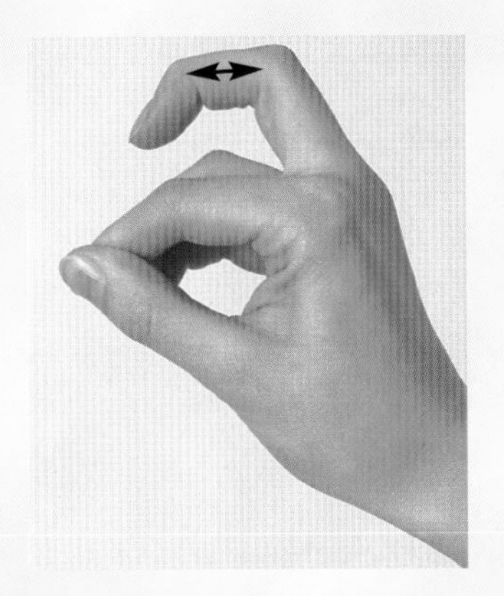

La longueur de la deuxième phalange de votre majeur = ***1 cun.***

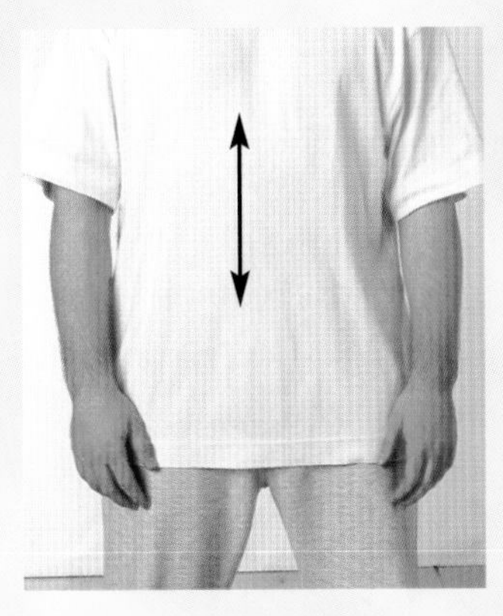

La distance entre le nombril et le bas du sternum = ***8 cun.***

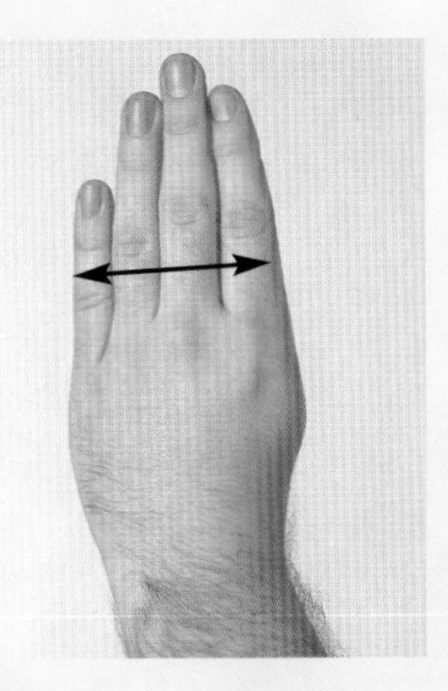

La largeur des quatre doigts = ***3 cun.***

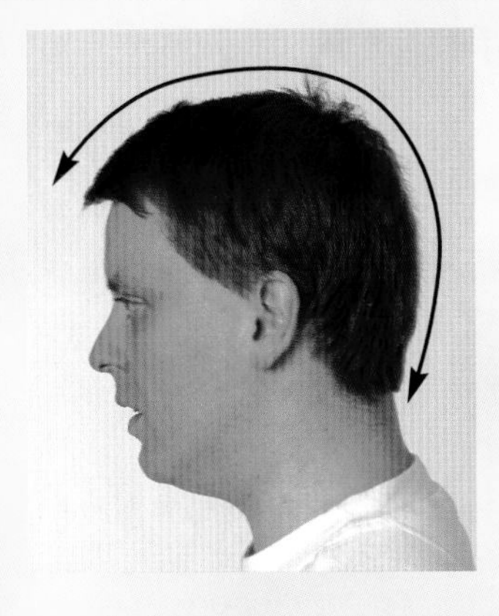

La distance, le long de la ligne médiane de la tête, entre la naissance des cheveux sur le front et celle sur la nuque = ***12 cun.***

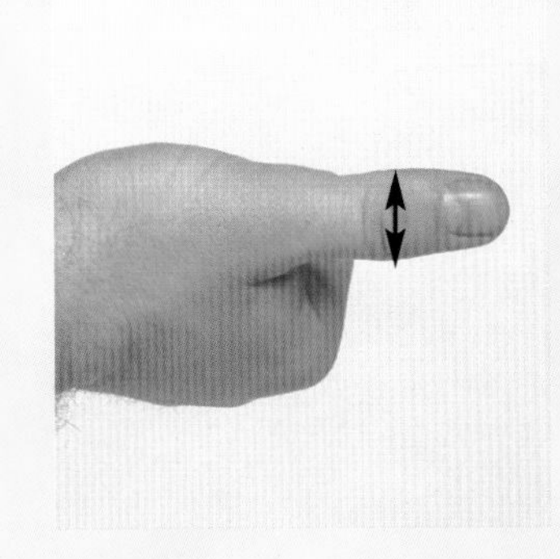

La largeur de votre pouce = ***1 cun.***

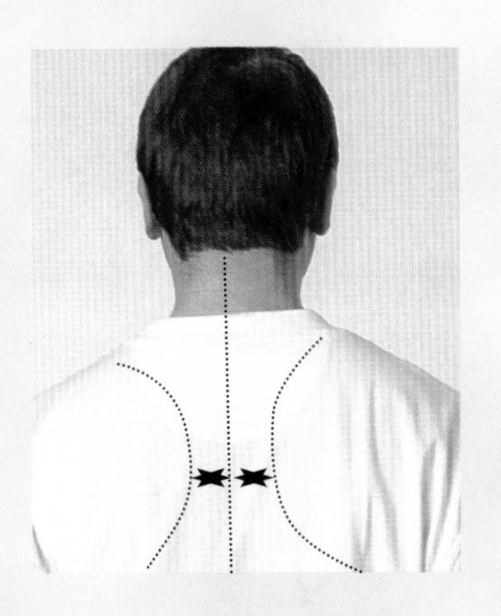

L'espace entre l'omoplate et le milieu de la colonne vertébrale = ***3 cun.***

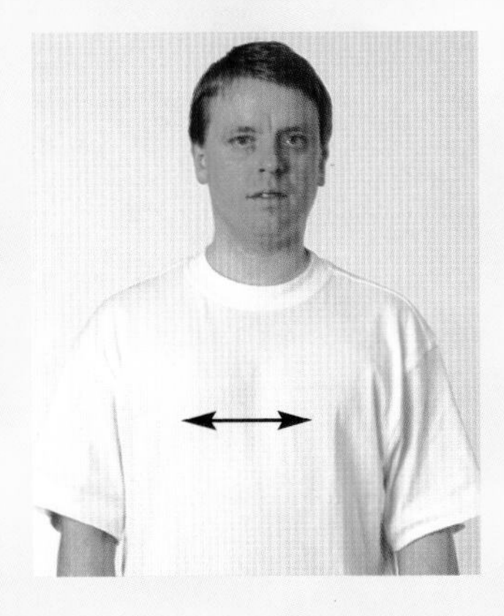

La distance entre les mamelons = ***8 cun.***

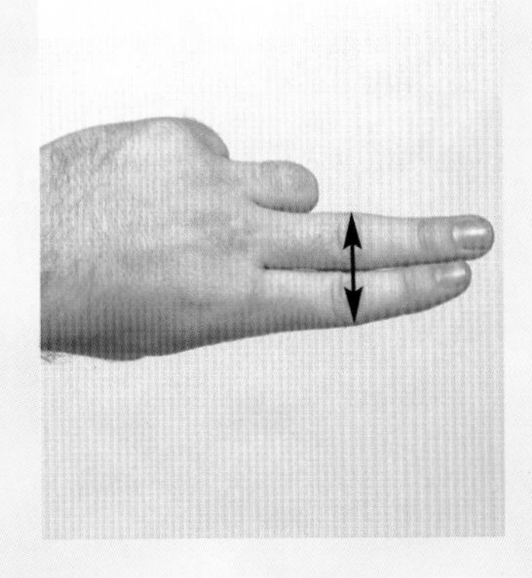

La largeur des deux premiers doigts = ***1.5 cun.***

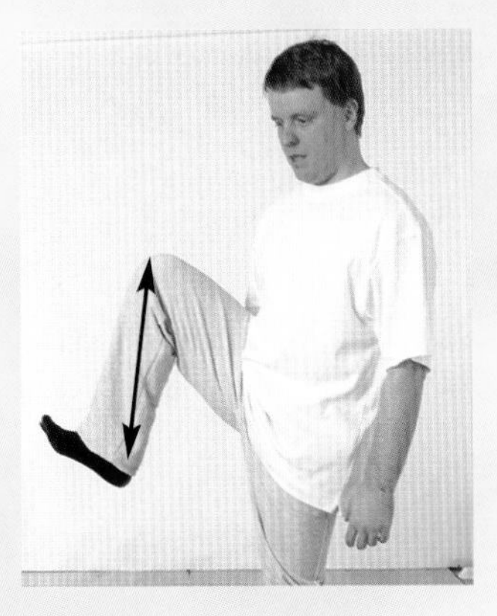

Du genou à la cheville = ***16 cun.***

De l'aisselle au haut de la hanche = ***12 cun.***

Le *ki*

Qu'est-ce que le *ki* ? Avant de répondre à cette question, il faut faire une mise en garde : la notion de *ki* a été terriblement galvaudée ces dernières années. Cette vaste commercialisation du terme s'explique de différentes manières. La plus courante est de dire que le monde prend de plus en plus conscience de certains problèmes actuels et que, par conséquent, un nombre sans cesse grandissant de personnes explorent ces domaines.

Il en résulte la propagation d'idées trompeuses. Par exemple, les praticiens qui peuvent guérir par un simple toucher sont aussi rares que la « prise de la mort » que l'on citait souvent en exemple au plus fort de l'engouement pour le kung-fu dans les années soixante-dix. Derrière une image prestigieuse, tout thérapeute ou pratiquant des arts martiaux qui souhaite développer son *ki* devra faire face à un long apprentissage avant de devenir un expert.

La notion de *ki* ne se limite pas au shiatsu. Voici la liste de quelques termes qui se rapportent au même concept, ainsi que leur pays d'origine et, s'il y a lieu, la personne associée à ce mot ou groupe de mots.

Ki	Japon
Chi	Chine
Orgone	Allemagne (Wilhelm Reich)
Prana	Inde
Mana	Polynésie
Vis medicatrix Naturae	Grèce (Hippocrate)
Champs morphogénétiques	Angleterre (Rupert Sheldrake)

La liste aurait pu inclure de nombreux autres termes qui représentent chacun une description personnelle de la même notion.

Le *ki*, c'est donc l'**énergie**. Dans le modèle que nous utilisons, basé sur le shiatsu et la médecine chinoise, les mots « *ki* » et « énergie » sont interchangeables. Nous pourrions maintenant examiner l'équation mathématique la plus connue de tous les temps :

$$E=mc^2$$

Dans cette équation, l'énergie est égale à la masse multipliée par une constante, laquelle est la vitesse de la lumière. En l'interprétant de cette manière, on peut déduire que la masse est équivalente à l'énergie.

Cela revient à dire que tout est composé de **ki**. Arbres, êtres humains, automobiles, montagnes et même pensées sont tous composés de *ki*. Ainsi, vous êtes vous-même de l'énergie ; le livre que vous êtes en train de lire également.

Cependant, il est une caractéristique que vous avez et que n'a pas le livre : la vie. La capacité à avoir la vie provient d'une manifestation du *ki* appelée **jing**. Le *jing*, c'est donc la force vitale qui habite tous les êtres vivants. Le livre que vous êtes en train de lire n'a pas de *jing*. Lorsqu'il était un arbre qui poussait dans la forêt, il avait du *jing*. Une fois abattu et arrivé à l'usine de papeterie, son *jing* s'est dissipé et a réintégré l'univers.

Par ailleurs, lorsque l'arbre était encore dans la forêt, il était vivant mais ne comprenait pas qu'il allait devenir un livre sur le shiatsu. Il ne savait probablement même pas qu'il était vivant. Il n'avait pas de conscient. La manifestation du *ki* qui permet le conscient se nomme le **shen**. Il est courant de dire que la seule espèce vivante dotée de *shen* est l'être humain puisqu'il est la seule créature, supposait-on, capable de réflexion.

Je préfère imaginer qu'il existe différents niveaux de *shen*. Par exemple, un chien sait qu'il est un chien et non un chat ; il doit donc posséder un certain niveau de réflexion pour savoir cela. Par contre, je n'ai encore jamais vu un chien lire Sartre ni tenter de réfléchir sur la nature des choses !

Le yin et le yang

Selon la conception taoïste de la création de l'univers, au commencement, il n'y avait rien. Puis, peu à peu, les forces opposées du yin et du yang sont apparues. Elles se sont unies d'innombrables façons pour former les « dix mille choses », c'est-à-dire notre univers.

Nous revenons ici à notre définition du *ki* : matière et énergie ne représentent en fait que deux facettes d'une même entité. En poussant un peu plus loin notre réflexion, nous pouvons dire que pour qu'une chose existe, il faut que soient présents les deux éléments opposés de cette polarité, ce qu'on a appelé le yin et le yang.

Cette notion va sans doute vous rappeler ce que vous avez appris à l'école sur les atomes. Un atome se compose de protons, de neutrons et d'électrons. Les protons sont positifs, les électrons négatifs et les neutrons neutres. Ces dernières particules sont neutres car elles comportent la même quantité de charges électriques positives et négatives, qui donc s'annulent. Par conséquent, les atomes qui nous composent sont formés de deux énergies différentes totalement opposées, ce qui revient à dire que tout est formé d'une combinaison d'énergies yin et yang.

Le parallèle entre physique moderne et taoïsme va même plus loin que cela, mais cette explication devrait suffire pour vous donner une bonne idée de l'origine du yin et du yang.

Que signifie cette explication pour nous ? Elle est utile de bien des façons. L'équilibre entre haut et bas, gauche et droite, amour et haine, entrée et sortie, jour et nuit, sommeil et éveil, calme et agitation, etc., fait partie des éléments qu'un thérapeute va prendre en considération et sur lesquels il va travailler. Il faut également savoir que lorsque le yin devient extrême, il se transforme en yang, et vice-versa.

La notion d'équilibre est utile au praticien et la dualité yin-yang peut l'aider aussi car elle lui fournit une base théorique pour son travail. Cette optique est d'autant plus probante que c'est en fait de cette manière que fonctionne l'univers.

Qu'est-ce qu'un méridien ?

Dans chaque être humain circule une certaine quantité de sang. En plus de nourrir nos organes internes, ce liquide remplit de nombreuses autres fonctions. Le sang n'est pas immobile ; il est véhiculé dans nos différents systèmes par un ensemble organisé de « voies », en l'occurrence les veines et les artères.

De la même façon, on peut dire que notre énergie a besoin elle aussi de voies, ou canaux, pour circuler. Ces canaux appelés couramment « méridiens » sont invisibles mais la qualité de l'énergie qui les traverse peut être détectée, de différentes manières, par un spécialiste du shiatsu.

Les méridiens n'existent pas dans le sens où un chirurgien pourrait les voir au cours d'une opération. Leur présence a toutefois été testée par des scientifiques qui ont trouvé certaines preuves susceptibles d'appuyer la théorie de leur existence. Par exemple, injectés à un point d'acupuncture, des isotopes radioactifs circulent le long d'un méridien. Des injections effectuées dans des zones qui ne sont pas situées sur le trajet d'un méridien ne conduisent pas à des résultats similaires.

Les méridiens sont associés entre eux par paires yin et yang puis aux organes, de la même manière que sont reliées au cœur les veines et les artères. Contrairement au sang qui dérive entièrement du cœur, l'énergie, elle, provient de différentes sources.

Chaque organe possède son propre méridien et il est couplé à un autre organe de manière à compléter le circuit. Par exemple, l'énergie yang de l'estomac forme un trajet avec l'énergie yin de la rate.

L'une des tâches du thérapeute de shiatsu consiste à essayer d'équilibrer l'énergie qui circule dans les méridiens et donc de maintenir autant que possible les organes concernés en santé.

Ce n'est là qu'une simplification du rôle de guérison joué par le praticien de shiatsu. Lorsque vous étudierez cette thérapeutique plus à fond, vous vous rendrez compte qu'en provoquant un changement au sein d'un méridien, on agit sur les autres et que tous les méridiens sont en interrelation.

Qu'est-ce qu'un *tsubo* ?

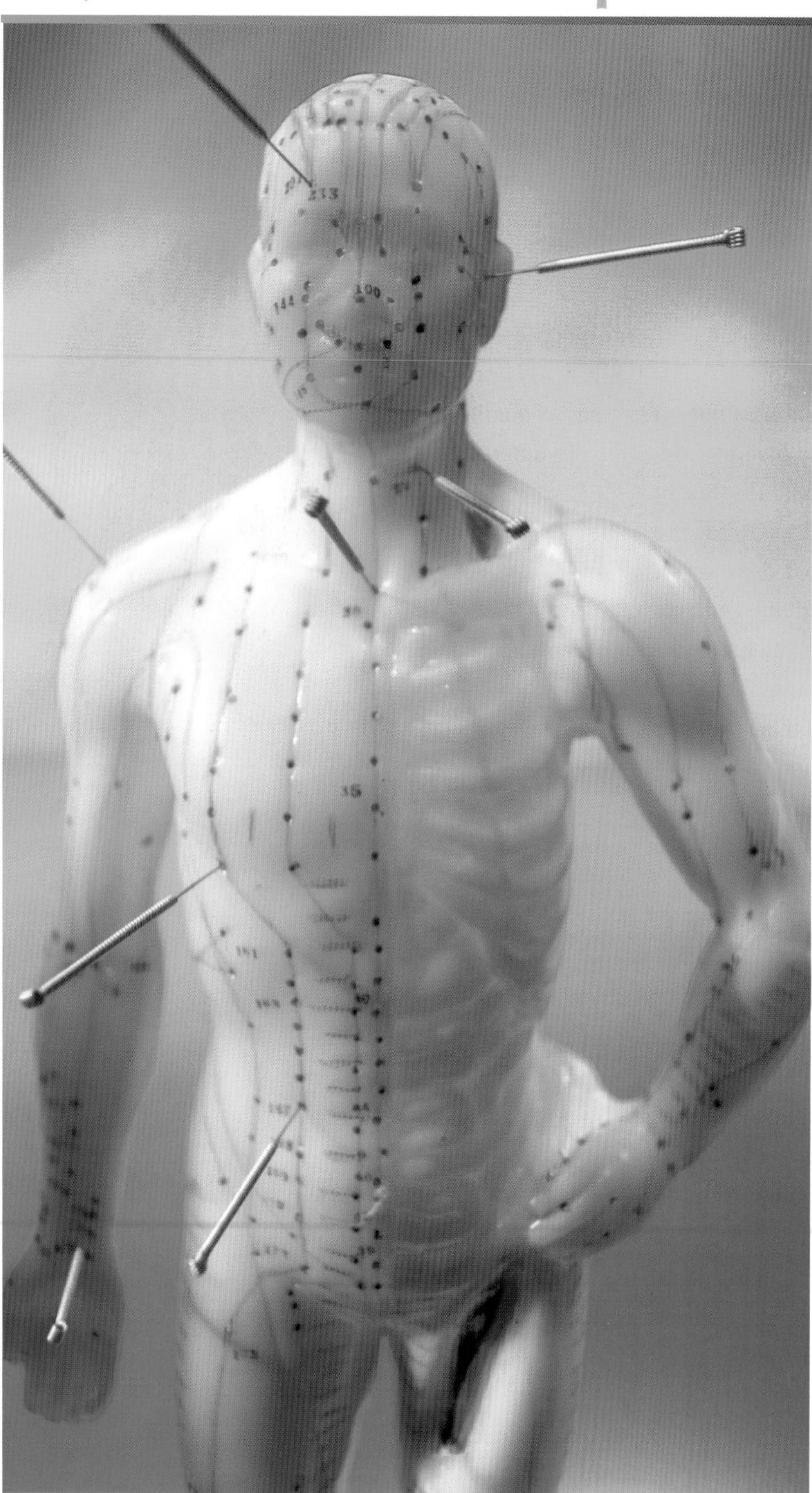

Acupuncteurs et thérapeutes du shiatsu se servent des tsubos.

L'une des techniques les plus associées au shiatsu est l'acupression. Les thérapeutes exercent une pression avec leurs pouces sur les points où les acupuncteurs inséreraient leurs aiguilles. Nous avons appris dans le texte sur les méridiens que l'énergie circule sous notre peau selon des trajets bien déterminés. Si nous voulons agir sur cette énergie dans le but de favoriser la guérison, nous devons trouver un moyen d'entrer en liaison avec l'énergie du receveur.

Nous pouvons y arriver par l'intermédiaire des *tsubos*. Un *tsubo* s'étend du méridien à la peau en prenant la forme d'un tourbillon creux. Ce point spécifique permet au thérapeute d'avoir accès à l'énergie présente dans le méridien et à agir sur elle selon les besoins.

Il est intéressant d'examiner le caractère japonais qui illustre le mot *tsubo*. Celui-ci ressemble à une bouteille munie d'un long goulot et d'un bouchon. Le goulot de la « bouteille » représente le passage qui conduit au méridien à partir du *tsubo*, et la bouteille ressemble au méridien vu en coupe transversale.

La théorie des cinq éléments

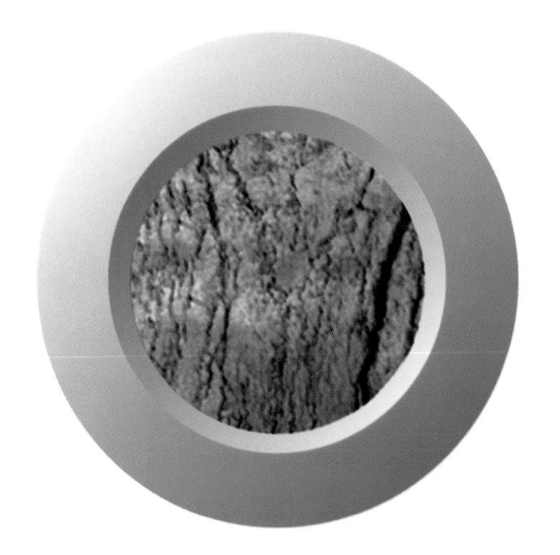

BOIS

MÉTAL

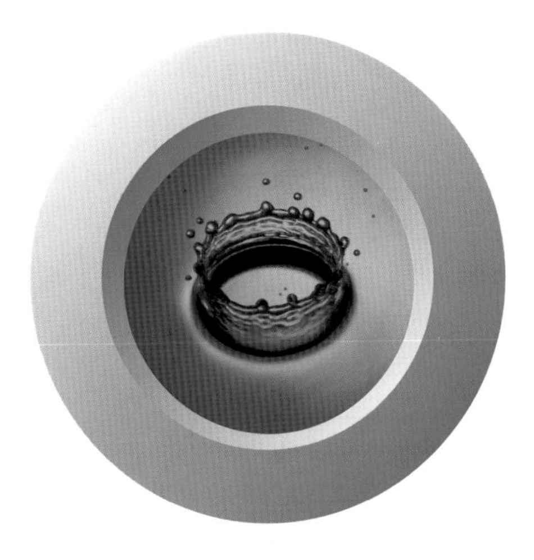

EAU

FEU

TERRE

Après avoir observé les changements liés aux saisons ainsi que l'interaction de l'être humain avec elles, les anciens moines et sages taoïstes ont imaginé la théorie des cinq éléments. À force de méditation et de réflexion, ils ont mis au point un système dans lequel l'année se divise en cinq parties. On peut considérer les saisons sur deux plans : microcosmique et macrocosmique. Par exemple, une journée peut très bien être décomposée en cinq parties, aussi bien qu'une année et même une vie.

Il faut comprendre la notion d'élément telle qu'elle a été pensée alors, et non en terme d'objet matériel comme le ferait la science occidentale. Les éléments représentent plutôt des mouvements, ou phases, d'énergie. Cette approche convient bien dans le sens où les termes de phase ou de mouvement impliquent justement que l'énergie se transforme constamment d'un état à un autre.

Les cinq éléments s'appellent feu, terre, métal, eau et bois. Les astrologues remarqueront que quatre des éléments chinois sont les mêmes que ceux qu'on utilise pour classifier les signes du zodiaque. On peut utiliser, il est vrai, la notion d'élément d'une manière semblable pour aider à comprendre des facteurs psychologiques et physiologiques. Il serait trompeur, cependant, de croire que les deux systèmes sont interchangeables. Il existe effectivement certains parallèles entre eux mais également des distinctions.

Pour nous aider à comprendre l'une des manières possibles de décrire l'univers, nous disposons à présent de deux outils importants : la dualité yin-yang et le système des cinq éléments.

Les cinq éléments

L'eau est la force primaire qui façonne nos paysages physiques, sociologiques et affectifs.

Chacun des cinq éléments, ou phases de l'énergie, est associé à différents organes, à une couleur, à un son et à de nombreux autres concepts.

Si l'on veut comprendre à quoi servent les cinq éléments ainsi que leur interaction, il faut savoir en quoi ils consistent et quels sont leurs rapports.

Avant de lire la prochaine section, prenez cinq feuilles blanches et inscrivez sur chacune d'elles le nom d'un élément. Écrivez ensuite toutes les idées possibles que vous associez à ce mot. À ce stade-ci, nous n'essayons pas d'associer des organes à un élément particulier, mais si vous avez déjà quelques idées là-dessus, inscrivez-les.

Les associations peuvent être flagrantes ou moins visibles. Par exemple, associer le mot « rivière » à l'élément eau est évident, mais vous pouvez aller plus loin et songer aux différentes étapes du parcours de la rivière : elle prend sa source dans la montagne, serpente dans la vallée puis se jette dans l'océan.

Certaines expressions idiomatiques portent déjà en elles des notions particulières. La locution « Être tout feu tout flamme » évoque la vivacité, la passion et même le comportement impulsif tandis qu'un esprit « terre-à-terre » se préoccupe des aspects matériels et réfléchis. En examinant ainsi certaines phrases courantes de la vie, vous vous rendrez peut-être compte que vous avez déjà en tête une bonne représentation des cinq éléments.

Dans les pages qui suivent, j'ai indiqué quelques associations habituelles pour les différents éléments. Cette liste s'accompagne d'un bref exercice de visualisation qui vous aidera à ressentir la particularité de chacun d'eux. Il vous faudrait toujours garder l'esprit ouvert. En effet, selon les ouvrages consultés, certaines pensées semblent se contredire. Essayez de prendre du recul en laissant vos propres idées germer. Vous acquerrez ainsi un savoir bien à vous et irez au-delà de toute contradiction apparente.

L'élément bois

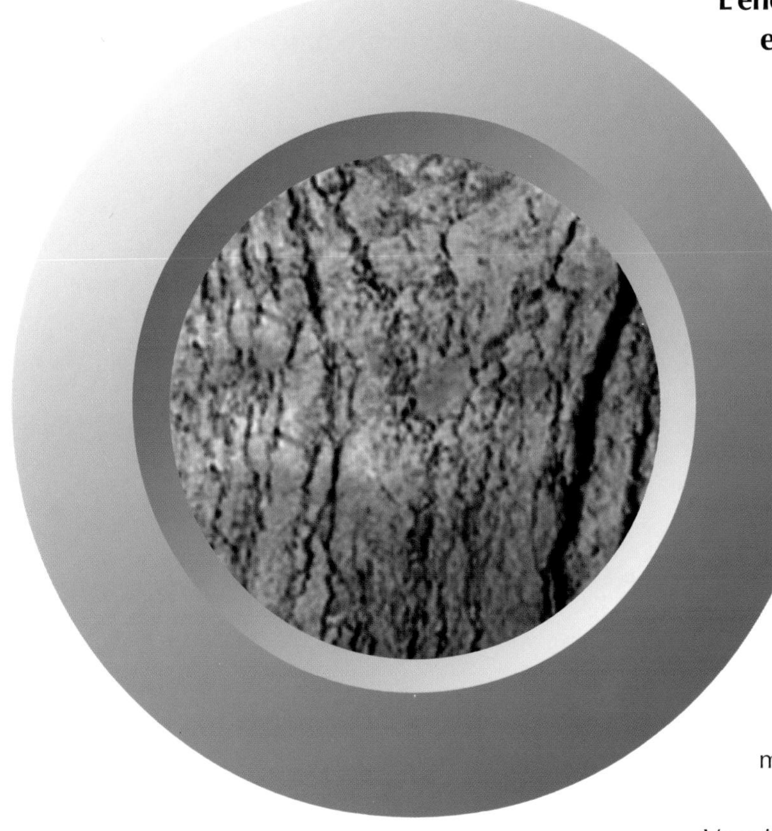

L'énergie de l'élément bois prend rapidement de l'expansion et peut même s'accumuler sous l'effet de la pression.

Associations d'idées

Le vert ; la petite enfance et l'enfance ; le matin ; le printemps ; la nouvelle pousse ; les arbres ; les jeunes rameaux ; la planète Jupiter ; la prise de décision ; la vue ; la sensibilité ; l'organisation ; l'emmagasinage ; la distribution ; la planification ; le vent ; la détoxication ; la métamorphose ; la distribution du *ki* ; la domination ; l'humour ; la créativité ; les yeux ; la jalousie ; l'intelligence ; la colère ; les aspirations ; la hâte ; l'indépendance ; la bonté.

Exercice de visualisation

Vous voyez un jeune arbre qui commence à pousser au printemps. La force créatrice de sa croissance lui permet de se transformer d'une toute petite plante en un majestueux chêne. Si on la laisse croître, la plante peut devenir une manifestation grandiose de la splendeur de la nature.

De tous les temps, le chêne a symbolisé force et longévité.

Vous imaginez maintenant qu'on a placé quelque chose sur la plante pour l'empêcher de pousser. Sans humidité ni clarté, elle va s'étioler et mourir. Si elle parvient malgré tout à se procurer suffisamment de lumière et de chaleur, la plante trouvera assez d'énergie soit pour se frayer un chemin à travers l'obstacle soit pour pousser d'une manière restreinte.

Vous imaginez ensuite que vos idées sont comme cette plante. Sans aucune restriction, vous pouvez les suivre et apprendre de vos tentatives de croissance. Vous allez sans doute rencontrer des obstacles, mais si vos idées sont soutenues par suffisamment de lumière et de chaleur, vous vaincrez ces difficultés et atteindrez votre but.

Si les obstacles vous paraissent trop importants et si vous ne trouvez pas le soutien dont vous avez besoin, vos idées et votre énergie vont s'atrophier. Colère et jalousie risquent d'envahir votre esprit, entraînant à leur suite des problèmes physiologiques et psychologiques. Il est donc vital pour votre bien-être que votre énergie bois se libère tout le temps.

L'élément feu

Le feu représente chaleur, lumière et joie. Il est l'énergie yang à son extrême, l'énergie dans sa forme la plus sublime.

Si elle n'est pas constamment nourrie, la flamme de la passion meurt et est réduite en cendres.

Associations d'idées

Le rouge ; le soleil ; la jeunesse ; l'éclat ; le feu peut s'éteindre s'il n'est pas alimenté et surveillé ; l'intégration ; la parole ; l'été ; le développement à son maximum ; midi ; l'activité à son comble ; la croissance ; la méditation ; le sud ; la planète Mars.

Exercice de visualisation

Vous imaginez ou bien vous observez un feu qui vient d'être allumé. Au début, les flammes luttent pour exister. Petit à petit et avec une vigueur sans cesse croissante, elles prennent de l'amplitude et le feu se met à brûler comme il faut.

Vous sentez la chaleur du feu qui vous réchauffe jusqu'au plus profond de vous-même. Vous ne vous en approchez pas trop au risque de vous brûler. Sans la chaleur du feu, toutes les espèces vivantes s'étioleraient et mourraient.

Vous entretenez bien le feu ; vous l'alimentez graduellement. Vous ne mettez pas tout le combustible d'un coup car le feu s'éteindrait. Vous lui imposez des limites, sinon il deviendra destructeur ou se réduira à néant.

Vous observez les transformations qui s'opèrent au fur et à mesure que le feu s'éteint et devient des cendres brûlantes. Tandis que vous regardez le feu ou que vous l'imaginez dans votre tête, vous remarquez les changements qui se produisent au niveau de vos sensations.

L'élément terre

La saison des récoltes représente l'énergie de la terre.

L'élément terre se caractérise par la disposition à nouer des liens, à nourrir et à harmoniser.

Associations d'idées

Le jaune ; l'âge adulte ; la maturité ; le centre ; le sol ; la récolte ; la fin de l'été ; la nourriture ; l'équilibre ; le rassemblement ; l'union ; la Terre mère ; le goût ; la stabilisation ; l'harmonie ; la transformation ; la fin de l'après-midi ; l'humidité ; la planète Saturne ; la conciliation de toutes les autres énergies ; l'ingestion et la digestion de nourriture physique et mentale.

Exercice de visualisation

Vous vous imaginez en train de vous promener ou vous allez faire une balade dans la campagne au moment des récoltes. Vous contemplez les champs travaillés par les agriculteurs. Vous remarquez avec quelle application ils rentrent la moisson. Cela n'a rien à voir avec l'activité fébrile de l'énergie feu ; l'attitude est plus posée, plus persévérante.

Vous assistez à un festival des récoltes organisé par une communauté religieuse. La fête a toujours pour thème la reconnaissance à la terre qui a fourni des provisions pour l'hiver.

Vous allez jardiner (si vous n'avez pas de jardin, vous pouvez aider quelqu'un qui en a un). Vous réfléchissez aux similitudes qui existent entre les différentes étapes du jardinage et nos mécanismes physiologiques et mentaux.

Après un long trajet en automobile ou en transport en commun, vous remarquez que vous retrouvez votre équilibre mental dès l'instant où vos pieds touchent le sol. Essayez de ressentir ce contact avec la terre et de le garder présent à l'esprit aussi souvent que possible.

L'élément métal

Quoique très pure, l'énergie du cristal n'en est pas moins emprisonnée.

Comprendre ses limites et façonner son environnement, telles sont les particularités de l'élément métal.

Associations d'idées

Le blanc ; la vieillesse ; l'automne, la soirée/la nuit ; la netteté ; le bâillement ; la réduction ; l'élimination ; la pourriture ; le sentiment de vide au sortir de l'été ; l'odorat ; la sécheresse ; la planète Vénus ; la contraction ; l'achèvement ; l'échange ; la transformation de l'énergie yin en yang.

Exercice de visualisation

Vous prenez un cristal (un quartz ou un diamant) et vous le fixez. Vous vous représentez l'énergie emprisonnée au sein de sa structure réticulaire. Vous ressentez la dureté du minéral ainsi que ses limites bien définies par rapport au monde extérieur.

Vous imaginez combien vous vous sentiriez isolé si vous vous trouviez dans la situation du cristal et si toute votre énergie était emprisonnée au point de vous empêcher une quelconque interaction avec votre environnement.

Vous songez à la fin de l'année ; vous vous rappelez le sentiment d'achèvement qui accompagne cette période et les perspectives nouvelles pour l'année à venir.

Vous imaginez les champs nus qui attendent d'être labourés. Vous pensez aussi au fermier qui évalue si la récolte a été bonne.

L'élément eau

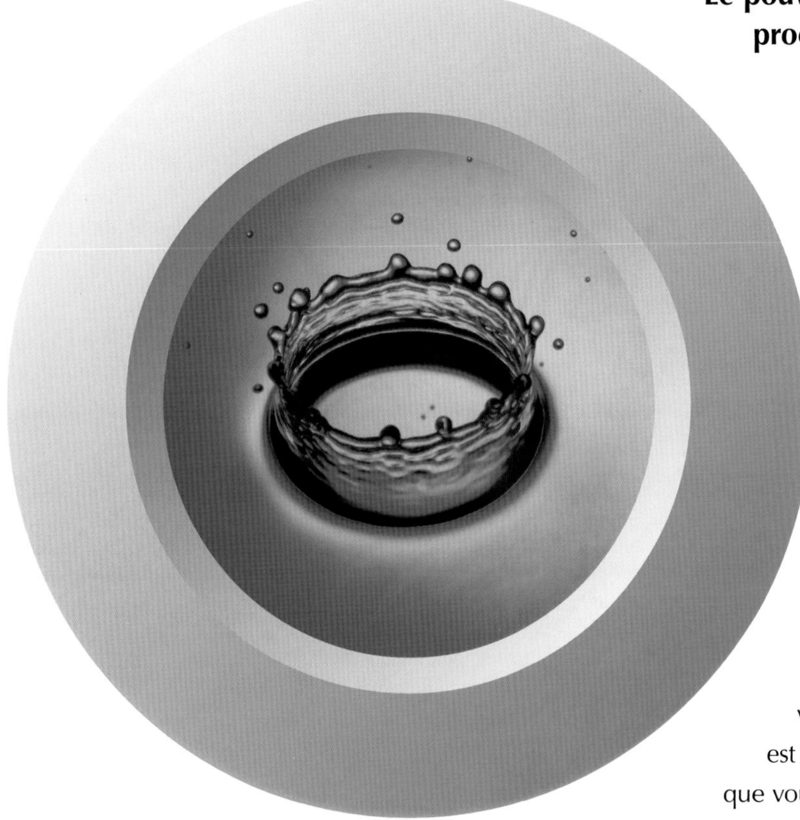

Le pouvoir de l'élément eau réside dans la faculté de procréer, de se concentrer et de conserver.

Associations d'idées

Le noir et le bleu ; l'hiver ; la vieillesse/la mort ; l'ouïe ; la nuit/le petit matin ; la planète Mercure ; le froid ; s'apaiser comme l'eau à son point le plus bas ; le tronc ; la glace ; la neige ; l'immobilité vers l'extérieur ; le mouvement vers l'intérieur ; la vie à son stade primal ; la concentration ; l'inconscient ; l'eau qui coule ; l'eau qui stagne ; la graine à l'état de dormance ; la douceur ; le soutien ; la peur ; la spontanéité ; la purification ; le nettoyage ; le *ki* originel ; l'accumulation.

Exercice de visualisation

Vous allez nager ou vous vous imaginez en train de le faire. Pendant que vous êtes sous l'eau, vous remarquez qu'il vous est de plus en plus difficile de ressentir là où finit votre corps et là où commence l'eau. Cette absence de frontière est semblable à celle qui se produit avec l'énergie feu. Vous sentez que vous faites partie intégrante du mouvement de l'eau, ce qui est une sensation différente de la dissolution plus aérienne du feu. Cette perte du moi a été utilisée par de nombreuses cultures lors de rituels comme le baptême.

Beaucoup de poètes et d'artistes se sont servis de la mer et des lacs comme métaphores pour parler de l'inconscient. Cela s'explique peut-être par le fait que ces gens sont habituellement dotés d'une grande imagination et qu'ils ont un lien instinctif avec leur propre énergie eau. Si vous étudiez la vie de vos poètes préférés, vous remarquerez très vite leur relation avec l'énergie eau.

Pour comprendre les différents aspects de cette énergie, vous pouvez aussi contempler un ruisseau, faire l'amour, méditer au bord d'un lac ou prendre un bain ou une douche. La seule limite à cet exercice est votre imagination qui constitue justement un autre aspect de l'énergie eau.

La puissance extraordinaire de l'océan vous aide à visualiser l'énergie eau.

Les mouvements des éléments : les cycles *ko* et *shen*

Le cycle d'engendrement ou cycle *shen*

De nombreux concepts associés aux cinq éléments comportent la notion d'enchaînement. Dans la théorie des cinq éléments, un élément doit en nourrir un autre. Cet élément s'appelle la « mère » de celui qu'il alimente. Par exemple, le feu a besoin de bois comme combustible ; le bois est donc la « mère » de l'élément feu. Cette succession porte le nom de cycle d'engendrement ou cycle *shen*.

Un traitement établi à partir du système des cinq éléments repose sur l'idée simple que si un élément devient déficient, il faut traiter sa « mère ». Par exemple, si une personne montre une faiblesse de l'élément feu, en traitant l'élément bois, celui-ci pourrait fournir davantage d'énergie à l'élément feu.

Le cycle *shen* peut se résumer ainsi :

- Le bois alimente le feu.
- Le feu engendre les cendres qui deviennent de la terre.
- La terre renferme les minerais (métal).
- Les minéraux (métal) alimentent l'eau.
- L'eau nourrit le bois.

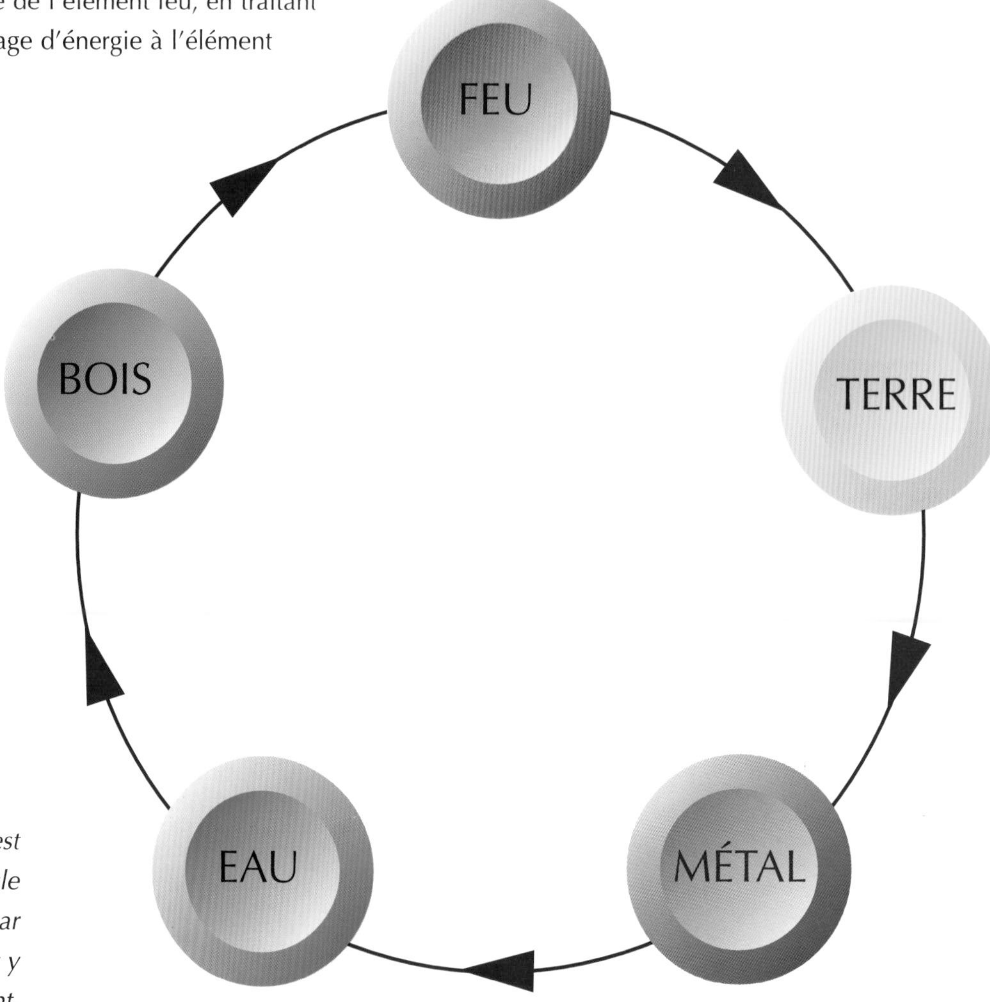

Le cycle shen *est parfois appelé « cycle de la mère » car chaque élément y nourrit le suivant.*

Le cycle de domination ou cycle *ko*

La manière la plus simple de décrire le cycle de domination est de le comparer au jeu d'enfant « roche, papier, ciseaux ». La relation entre les éléments est la suivante :

- Le bois recouvre la terre.
- La terre absorbe l'eau.
- L'eau éteint le feu.
- Le feu fond le métal.
- Le métal coupe le bois.

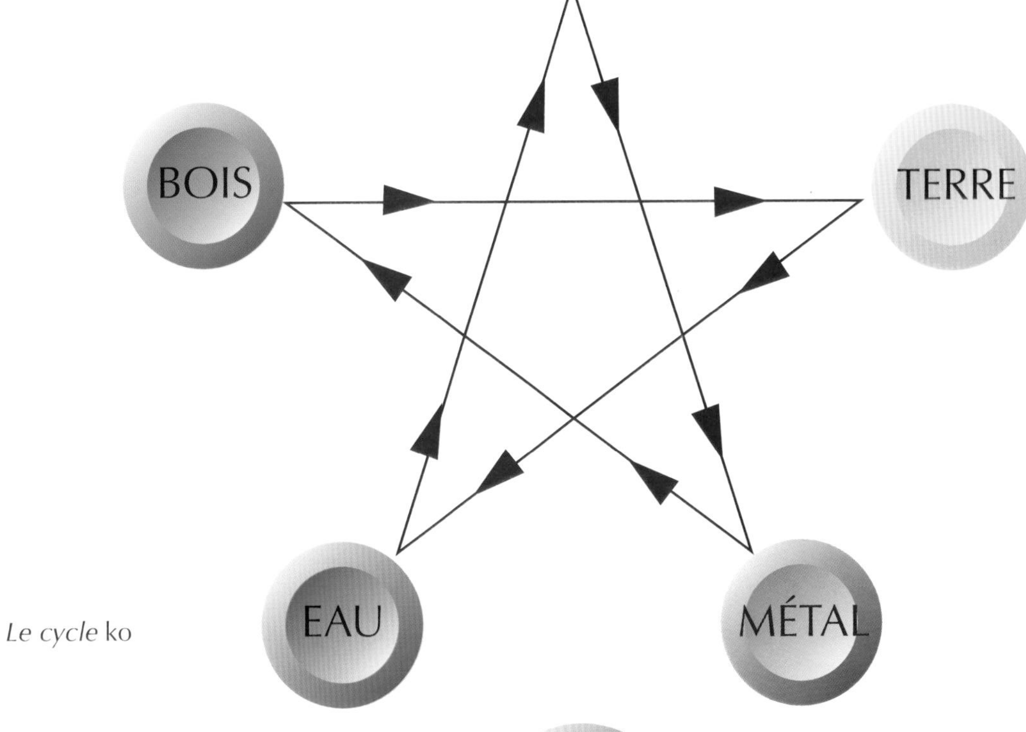

Le cycle ko

Cette relation empêche chacun des éléments de dominer son partenaire plus faible que lui. Supposons qu'un excès de bois risque de dominer un feu déficient, un traitement possible consisterait à tenter de contrôler le bois en traitant l'élément métal. Ainsi, en tempérant le bois, on espère permettre au feu de se ranimer.

En y réfléchissant de plus près, vous comprendrez peu à peu la portée de ces relations mutuelles. Lorsque vous connaîtrez bien les organes et les méridiens qui y sont associés, vous saisirez mieux de quelle manière le traitement d'un méridien va affecter tous les autres.

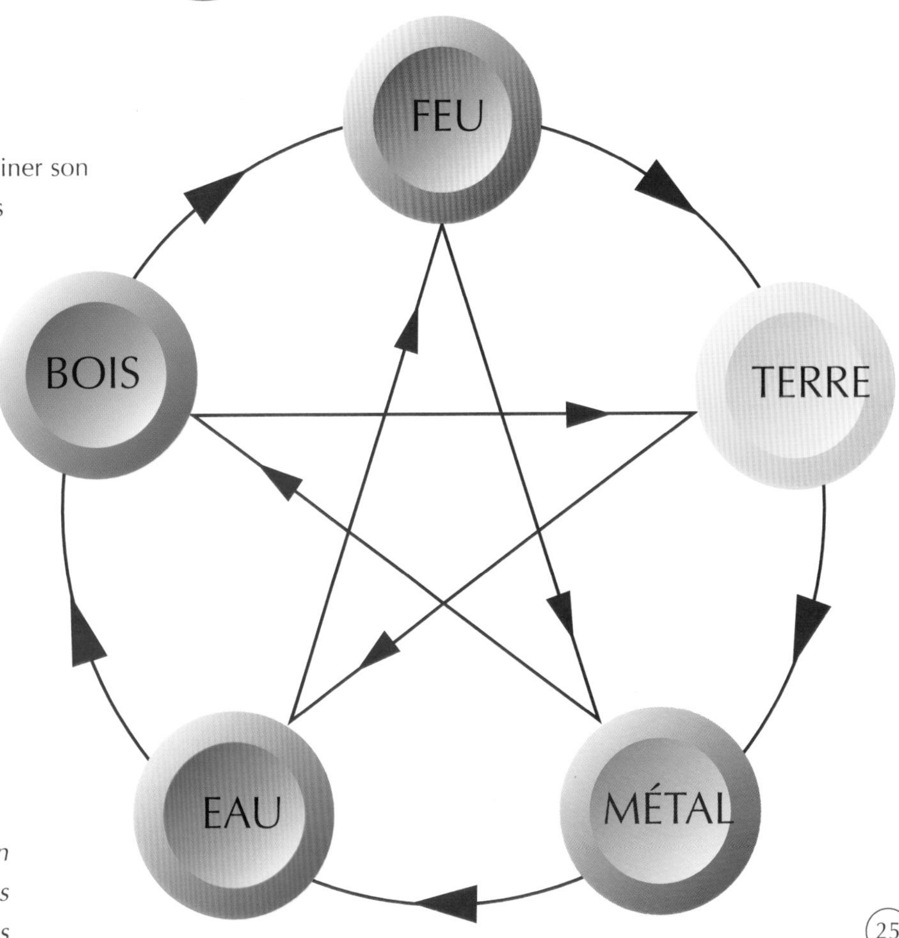

Le cycle de domination montre comment les éléments se contrôlent les uns les autres.

Notions élémentaires d'anatomie

Si vous faites le choix d'étudier le shiatsu, il vous faudra absolument connaître certains termes rattachés à l'anatomie. Il vaut mieux vous être familiarisé avec ces mots avant de commencer ; cela vous facilitera la tâche lorsque vous devrez étudier l'anatomie d'une manière plus approfondie.

Pourquoi devons-nous connaître ce vocabulaire ? Pour la simple raison que les mots « gauche », « droite », « haut », « bas » ne veulent rien dire lorsqu'on tente de décrire le corps humain. Par exemple, si vous essayez d'indiquer la place du méridien du poumon sur votre pouce, serait-il situé à gauche ou à droite de la ligne médiane de ce doigt ? Si la main est placée la paume vers le bas, ce sera à droite ; si la paume est dirigée vers le haut, ce sera à gauche. Il est donc plus facile de dire que le méridien est situé du côté radial du pouce, c'est-à-dire du même côté que le radius (un des deux os de l'avant-bras).

Termes usuels d'anatomie

Radial/cubital Pour les bras et les mains. Qui se rapporte au radius et au cubitus, les deux os de l'avant-bras, et à leur proximité.

Supérieur Qui concerne le haut du corps.

Inférieur Qui concerne le bas du corps.

Antérieur Qui est situé à l'avant du corps.

Postérieur Qui est situé à l'arrière du corps.

Interne/Intérieur Si, pour séparer la droite de la gauche, on trace un trait du haut en bas du corps en son milieu, on obtient une ligne médiane. (On peut également diviser de cette manière un membre en deux.) Le mot « interne » signifie qui est le plus près de cette ligne.

Externe/Extérieur Qui est le plus éloigné de la ligne médiane.

Latéral Qui est situé sur le côté.

Brève description des organes internes

En shiatsu, il vous faut également connaître le fonctionnement des différents organes ainsi que leur localisation. Il est préférable de comprendre le rôle de chacun tel que l'entend la médecine conventionnelle occidentale avant de vous lancer dans l'étude des principes chinois.

Essayez ce petit test. Posez votre main sur l'un de vos reins et pensez à ce qu'il fait. Vous êtes-vous souvenu de son emplacement ainsi que de son rôle ? Passez maintenant à un exercice un peu plus difficile. Où est située votre vésicule biliaire et à quoi sert-elle ? En réalité, un grand nombre de gens savent mieux ce qui se passe dans leur téléroman préféré qu'à l'intérieur de leur corps !

À l'aide des schémas suivants, vous pourrez vous familiariser avec vos organes. Les descriptions données sont toutefois succinctes ; si vous souhaitez approfondir le sujet, il existe un grand nombre d'excellents ouvrages et cédéroms.

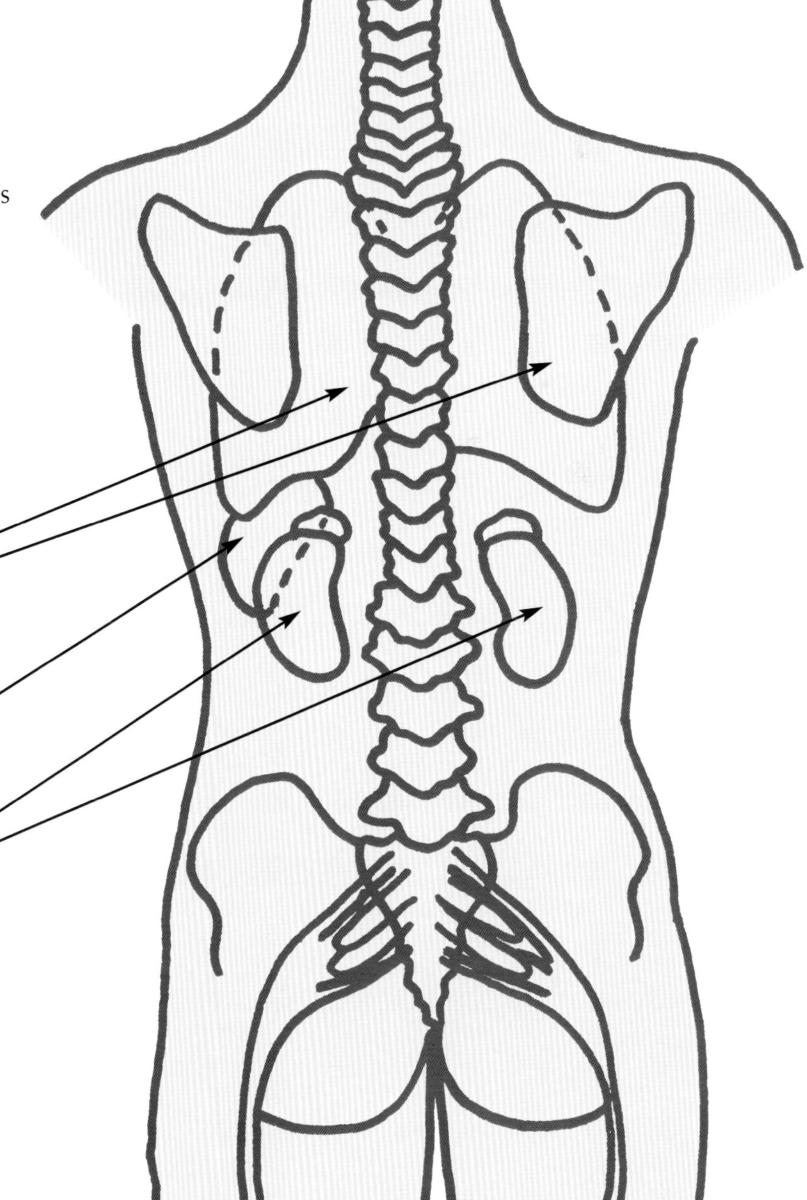

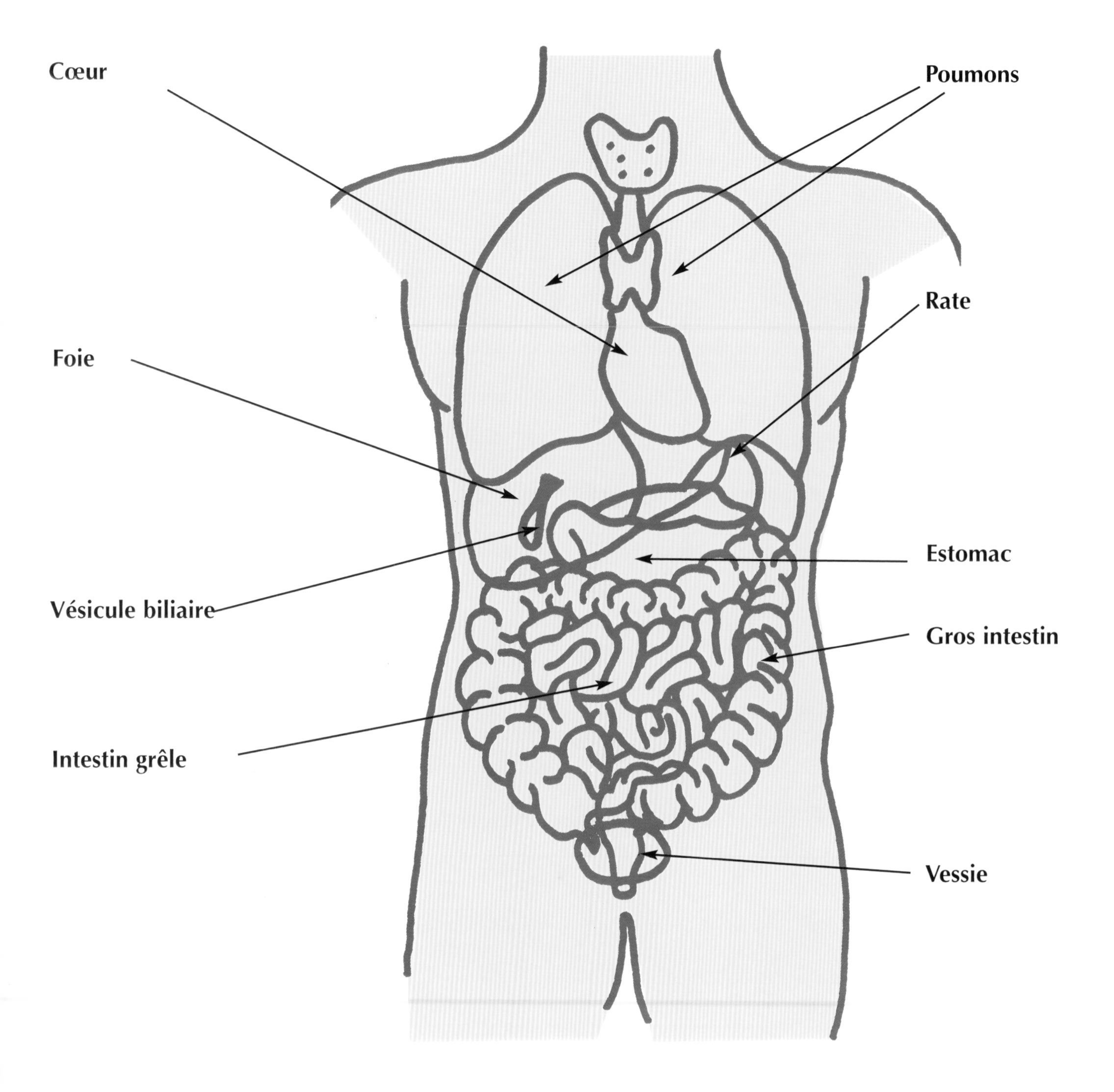
Cœur
Poumons
Rate
Foie
Estomac
Vésicule biliaire
Gros intestin
Intestin grêle
Vessie

Les poumons

Les poumons sont les organes de la respiration. Ils sont spongieux et élastiques et remplissent la presque totalité de la cage thoracique. Les poumons sont formés d'un ensemble de tubes appelés bronchioles. Celles-ci se divisent comme les branches d'un arbre en devenant de plus en plus fines et elles se terminent par les alvéoles. À la surface des alvéoles se produit l'échange gazeux avec le sang. L'entrée de l'air se fait grâce au mouvement du diaphragme.

Le gros intestin

Le gros intestin comprend le côlon et le rectum. Une fois que les aliments ont atteint le côlon, les principaux produits de la digestion ont déjà été assimilés. Ce qui reste alors est en grande partie formé d'eau et de déchets non utilisables. Le côlon absorbe l'eau restante et rejette les selles vers le rectum puis l'anus.

Les reins

Les reins ont pour rôle principal de filtrer les liquides organiques. Les résidus sont excrétés sous forme d'urine.

Une autre fonction importante des reins consiste à maintenir l'équilibre hydrique dans le corps. Ce sont donc des organes à la fois régulateurs et excréteurs.

La vessie

La vessie est reliée aux reins par l'intermédiaire de canaux appelés uretères. Le liquide qui résulte de la filtration du sang par les reins — l'urine — passe dans les uretères pour être stockée temporairement dans la vessie. L'urine est ensuite évacuée de la vessie lorsque le sphincter se relâche.

Le foie

Une des fonctions importantes du foie consiste à emmagasiner le sucre sous forme de glycogène. Il contrôle constamment la quantité de sucre présente dans l'organisme afin que cette substance ne soit pas utilisée en une seule fois.

Le foie se charge de nombreuses autres tâches, entre autres le stockage du fer, la formation des fibrinogènes et la détoxication.

La vésicule biliaire

La vésicule biliaire, qui est située sur le foie, a pour rôle l'emmagasinage et l'excrétion de la bile. Ce liquide verdâtre décompose les graisses pour permettre aux enzymes de les digérer.

Le cœur

Le cœur a pour fonction de faire circuler le sang dans tout l'organisme. Le sang oxygéné arrive des poumons et pénètre dans le cœur du côté gauche ; de là, il est envoyé vers la tête et le reste du corps par l'artère aorte.

Le sang désoxygéné revient ensuite vers les poumons par l'intermédiaire de l'artère pulmonaire.

L'intestin grêle

L'intestin grêle est un long tube dont le diamètre varie selon son degré de contraction. Il a pour fonction de terminer la digestion et d'absorber les déchets. La première partie, le duodénum, joue un rôle dans la digestion et la seconde, l'iléon, se charge de l'absorption.

L'estomac

L'estomac est une poche musculeuse aux parois élastiques. Il joue un rôle dans les premières phases de la digestion. Les aliments se rendent à l'intestin grêle par l'intermédiaire d'un sphincter appelé le pylore. À l'intérieur de l'estomac, les aliments sont désintégrés grâce aux sucs gastriques élaborés par des glandes présentes sur ses parois.

La rate

La rate a pour fonction principale de filtrer le sang et de fabriquer des anticorps. Pour un médecin, une rate trop volumineuse témoigne de la présence d'un problème dans d'autres parties de l'organisme.

La fonction des organes en shiatsu

Où est localisé notre esprit ? Nous savons tous que notre cerveau est situé dans notre tête mais l'esprit se réduit-il à cela ? Que dire de l'amour ? Dans le langage occidental courant, nous associons différentes émotions à divers organes, mais il reste que l'esprit est habituellement logé dans le cerveau. Pour la médecine traditionnelle chinoise, de même que pour de nombreux autres systèmes de pensée, notre esprit n'est pas seulement situé dans notre tête.

Selon les principes de la médecine chinoise, le cerveau ressemble à l'unité centrale de traitement d'un ordinateur. L'ordinateur ne peut pas fonctionner sans elle mais elle n'effectue pas non plus tout l'ouvrage. C'est là une des premières différences fondamentales entre médecine traditionnelle chinoise et médecine occidentale.

La seconde différence importante réside dans la notion de *ki*. Si nos organes reçoivent un approvisionnement correct de *ki*, ils ont plus de chance de bien fonctionner. Nous nous sentirons donc plus en harmonie avec nous-mêmes, ce qui permettra une meilleure circulation de *ki*, qui nous assurera à son tour une bonne santé. Si le cercle est rompu et si le *ki* s'affaiblit à l'intérieur d'un organe, l'état mental associé à cet organe va en être affecté, ce qui risque de provoquer une autre faiblesse, et ainsi de suite. Dans la pratique du shiatsu, l'un des objectifs consiste justement à déceler ce genre de problème et à le régler.

Les pages qui suivent donnent une brève description de l'action des différents organes sur la circulation du *ki* ainsi que sur notre état mental.

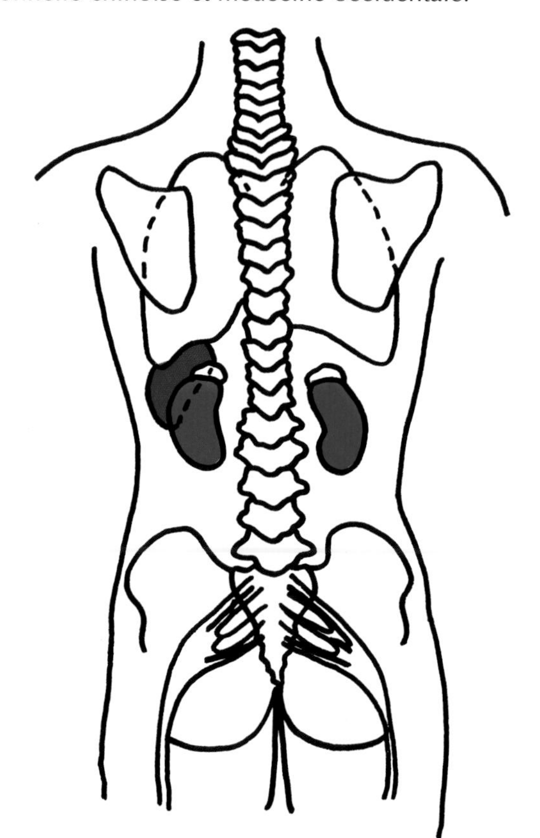

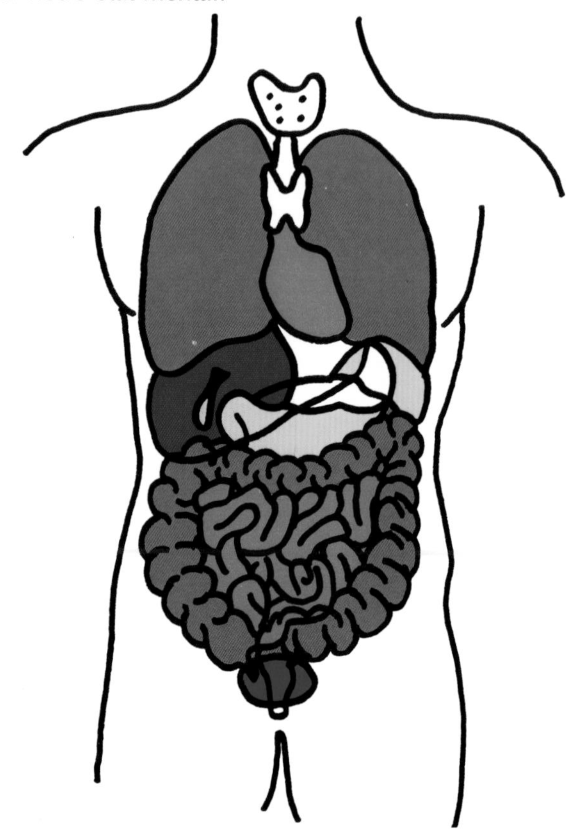

Bois = foie, vésicule biliaire
Terre = rate, estomac
Feu = cœur, intestin grêle
Métal = poumons, gros intestin

Eau = vessie, reins

L'élément feu

Le cœur

Le cœur est le « roi » des organes. Il est le logis de l'esprit (ou *shen*) qui renferme les caractéristiques positives de tous les autres organes. Joie, compassion, courage, douceur et bonté s'y mêlent pour former la personnalité.

Le cœur est déjà reconnu comme le centre de l'amour et de la bonté. On qualifie les gens cruels de « sans-cœur » ou de « cœur dur » tandis que des actes de bonté et d'amour peuvent « réchauffer le cœur ». On dit également « parler du fond du cœur » car le cœur est en outre relié à la langue.

Les caractéristiques positives de l'énergie cœur sont joie, bonheur, spiritualité, amour et respect. La cruauté, l'indifférence, le manque d'humour, la monotonie et la haine constituent ses aspects négatifs.

L'intestin grêle

Lorsque le cœur est en bonne santé, on peut le comparer à un monarque qui joue un rôle actif et vital dans les affaires de l'État. Pour ne pas risquer d'être débordé, le roi doit déléguer certaines tâches à un assistant de confiance. C'est à l'intestin grêle que revient ce rôle.

L'intestin grêle a pour mission de filtrer les données physiques, affectives et spirituelles qui assaillent le cœur. Par conséquent, si le cœur est faible, l'intestin grêle risque d'être à son tour surchargé de travail.

L'intestin grêle est le partenaire yang de l'énergie yin du cœur. Les autres parties de l'organisme associées à l'élément feu comprennent les artères, le teint, la langue, l'oreille externe et le coin interne des yeux. Le sang et la sueur sont les liquides organiques rattachés à cet élément.

Le feu secondaire

L'élément feu est unique en ce qu'il lui est associé un deuxième ensemble de méridiens : le péricarde (aussi appelé maître du cœur) et le triple réchauffeur. Ces méridiens sont différents des autres puisqu'ils ne sont directement reliés à aucun organe.

L'enveloppe du cœur ou péricarde

Le péricarde joue le rôle de « messager du roi ». Il transmet les intentions du cœur et laisse s'exprimer les émotions. Il est donc associé à nos relations avec les autres. Il protège le cœur des éléments extérieurs, par exemple la chaleur, et contribue à protéger l'esprit des traumatismes.

Le traitement du méridien du péricarde s'avère très utile pour soigner les personnes aux prises avec des problèmes affectifs. Le péricarde est un méridien yang ; son partenaire yin est le triple réchauffeur.

Le triple réchauffeur

Le triple réchauffeur ne possède aucun équivalent dans la médecine occidentale. Il contrôle ce que l'on appelle les trois « réchauffeurs » ou « foyers » dans notre organisme, à savoir le réchauffeur supérieur, le moyen et l'inférieur. Ces réchauffeurs se situent respectivement dans le thorax, entre le diaphragme et le nombril, et juste sous le nombril. Dans notre analogie avec le « roi », le triple réchauffeur équivaut au fonctionnaire responsable des voies navigables.

Le triple réchauffeur gère la distribution de la chaleur et des liquides dans l'organisme. Des perturbations à ce niveau se remarquent par de la froideur et une incapacité à s'adapter à son environnement.

L'élément terre

La rate

La rate se compare à un ministre des finances chargé de gérer les entrepôts et les ressources de l'organisme. La rate nous fournit les substances dont nous avons besoin pour avoir des forces. Elle a pour rôle principal de transformer la nourriture en *ki* et de véhiculer les éléments nutritifs vers tous nos organes.

Une rate forte nous garantit une mémoire vive et une bonne faculté de raisonnement. À l'inverse, une faiblesse de la rate se traduit par une difficulté à mettre de l'ordre dans ses idées et par une pensée qui manque de clarté. Sur le plan physique, une déficience de cet organe peut conduire à une mauvaise digestion, des menstruations abondantes et une accumulation excessive de liquides organiques.

L'estomac

L'estomac est le partenaire yang de la rate, qui est yin. Il joue lui aussi le rôle de ministre des finances mais il s'occupe de l'approvisionnement en ressources plutôt que de leur entreposage.

La principale tâche de l'estomac est de contrôler l'ingestion de nourriture, pas seulement les aliments que nous ingurgitons mais aussi la nourriture affective et mentale dont nous avons besoin pour nous maintenir en vie.

En temps normal, le *ki* de l'estomac descend vers le gros intestin dans le but d'y éliminer les déchets. Si la situation est inversée, il en résulte des nausées ou le hoquet.

Les autres parties du corps régies par l'élément terre comprennent les grands muscles, les lèvres, la bouche et les paupières. La salive et la lymphe sont les liquides organiques placés sous le contrôle de cet élément.

Alimentation et digestion sont les fonctions clés de l'élément terre.

L'élément métal

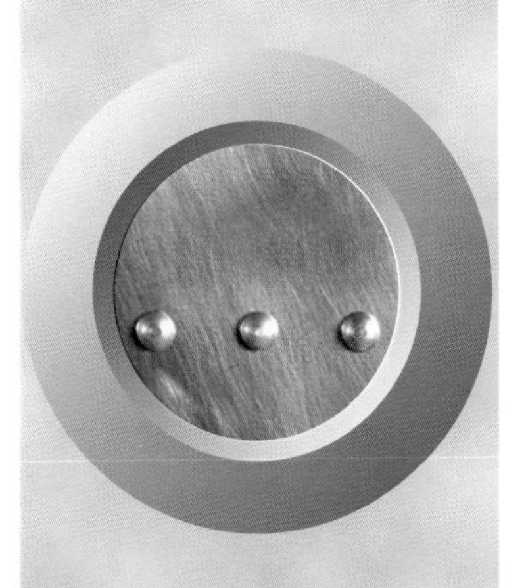

Les poumons

Dans notre organisme, les poumons font office de premier ministre. On peut dire d'eux qu'ils s'occupent des affaires étrangères et de la sécurité intérieure.

De toute évidence, les poumons sont reliés d'une manière ou d'une autre à la fonction de la respiration. C'est par le biais de celle-ci que le *ki* est distribué dans toutes les parties du corps. Si l'on respire mal, la quantité de sang oxygéné envoyé au cerveau est réduite, ce qui peut causer de la dépression ou une baisse d'énergie.

Il n'est donc pas surprenant que de nombreuses disciplines, notamment le *qi gong* et le yoga, nous enseignent qu'une respiration profonde et régulière peut améliorer notre état de santé et accroître notre vivacité d'esprit.

Le gros intestin

Le gros intestin est le partenaire yang des poumons, qui sont yin. Il représente le ministre des affaires étrangères dont la fonction est de mettre à exécution les décisions du premier ministre et de protéger les frontières de l'État.

Après avoir reçu les aliments de l'intestin grêle, le gros intestin trie ce qui est utilisable et expulse le reste à l'extérieur de l'organisme.

Une perturbation à ce niveau se manifeste par de la constipation ou de la diarrhée. Sur le plan affectif, l'effet se fait sentir au plan des émotions indésirables. Par exemple, si une personne n'exprime pas son chagrin, elle risque de se sentir isolée et de devenir dure, comme du métal.

L'élément métal gouverne également le nez, les sinus, les bronches, la peau, le système pileux et les sécrétions muqueuses.

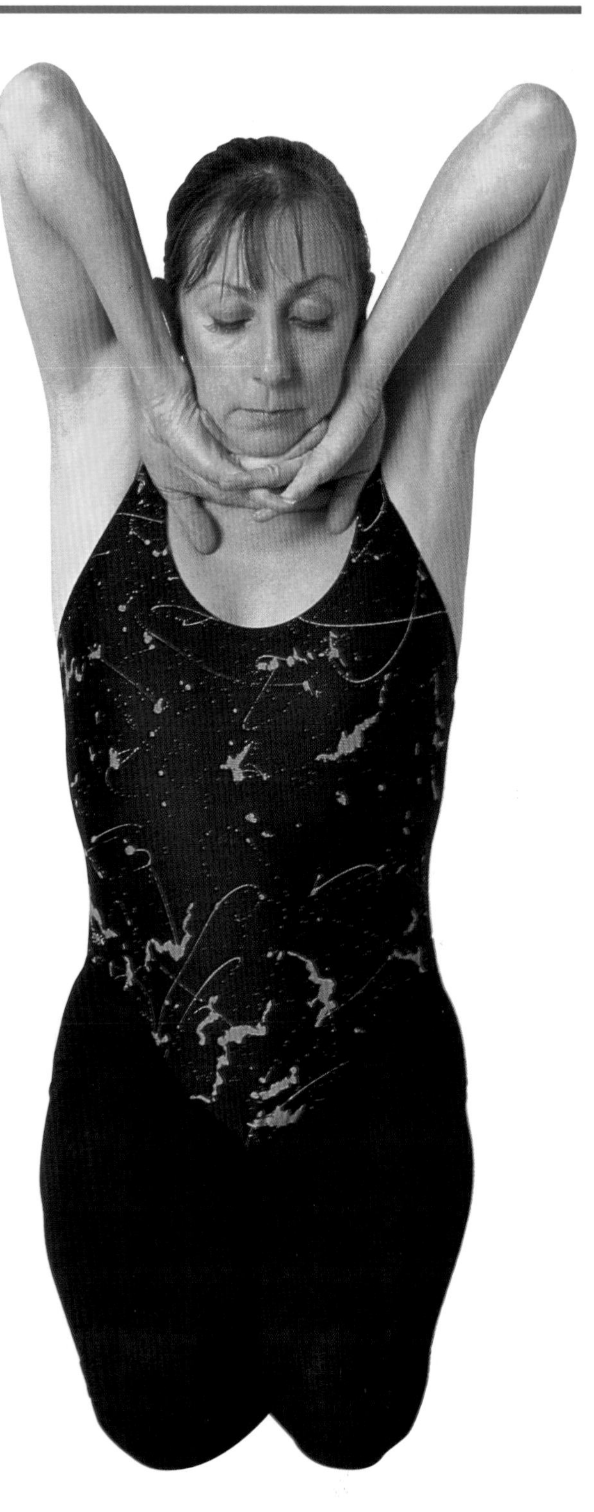

Certaines disciplines comme le yoga nous enseignent qu'il faut bien respirer pour être en bonne santé.

L'élément eau

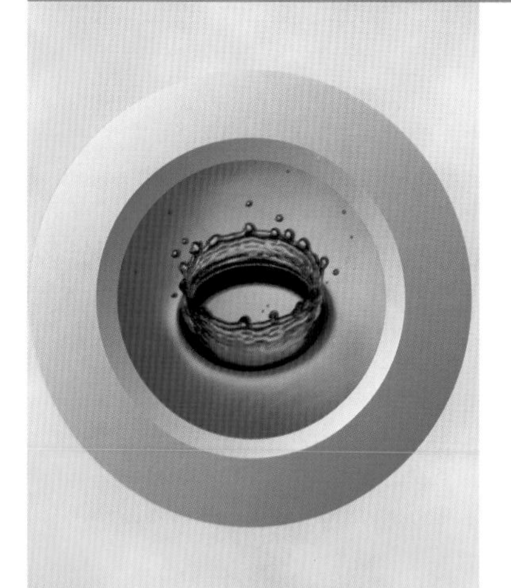

La vessie

Le méridien yang de la vessie est associé au méridien yin des reins. Son rôle se compare à celui d'un gouverneur local qui doit administrer le système nerveux autonome, la purification et l'hypophyse.

La position du méridien de la vessie, à savoir près de l'épine dorsale, suggère qu'il a un rôle à jouer dans le soutien du corps et dans le fonctionnement du système nerveux au sein de la colonne vertébrale. Des déséquilibres à ce niveau se traduisent par une mauvaise posture et des maux de tête.

Pour des praticiens expérimentés, le méridien de la vessie peut également servir d'outil de diagnostic car il possède des « points *yu* ». Ceux-ci peuvent jouer le rôle de fenêtres par lesquelles on observe l'état des autres méridiens ou bien servir à des fins de traitement comme n'importe quel autre point.

Les reins

Le méridien des reins représente le superviseur de tous les autres organes qui ne sont pas contrôlés par la vessie. Il est le ministre qui conserve les ressources naturelles (le *ki*) afin de les utiliser en temps de crise ou de transition.

En plus de leur fonction essentielle qui est d'emmagasiner l'essence vitale, ou *ki*, les reins renferment les racines de notre intellect et de notre créativité. Ils contiennent également les informations génétiques et sont à l'origine des instincts de procréation et de conservation.

C'est l'essence des reins qui nous garde en vie. Si nous gaspillons toute l'énergie de nos reins, nous n'aurons plus l'élan dont nous avons besoin pour survivre et nos organes s'arrêteront de fonctionner.

L'élément eau se manifeste également dans les ovaires, les testicules, le cerveau, la colonne vertébrale, les os, la moelle osseuse, les dents, les cheveux, l'anus, l'urètre et l'oreille interne. Ses liquides organiques sont les sécrétions sexuelles et le liquide rachidien.

Le cerveau est relié à l'eau comme l'unité centrale de traitement dans un ordinateur.

L'élément bois

Le foie

Dans cette dernière association, le foie est notre méridien yin et la vésicule biliaire notre méridien yang. La planification est l'essence de l'élément bois. Le foie ressemble donc à un commandant en chef qui a pour tâche de mettre au point des stratégies.

Le foie a pour fonction principale le stockage du *ki* et des éléments nutritifs. Dans ce cas-ci, l'emmagasinage constitue la fonction yin tandis que la distribution représente la fonction yang. Des déséquilibres au niveau de cet organe peuvent se traduire par un teint verdâtre.

La vésicule biliaire

La vésicule biliaire est associée au foie dans le but d'assurer une circulation régulière du *ki*. Le rôle de cet organe se compare à celui d'un adjoint au commandant, chargé de la distribution des renseignements et des ordres.

Une raideur dans les flancs peut indiquer un déséquilibre au niveau de la vésicule. Cet état s'accompagne parfois d'une rigidité d'esprit qui empêche de mener à bien ses projets. Une faiblesse de la vésicule biliaire peut également causer un manque de vision à long terme qui rend toute planification difficile.

Les autres parties du corps associées à l'énergie bois sont les tendons, les ligaments, les muscles des petites articulations, les yeux et les sourcils, les organes sexuels masculins et féminins et les ongles. La bile et les larmes sont les liquides organiques de l'élément bois.

Stratégie et planification sont les caractères essentiels de l'élément bois.

Éléments et personnalités

BOIS

MÉTAL

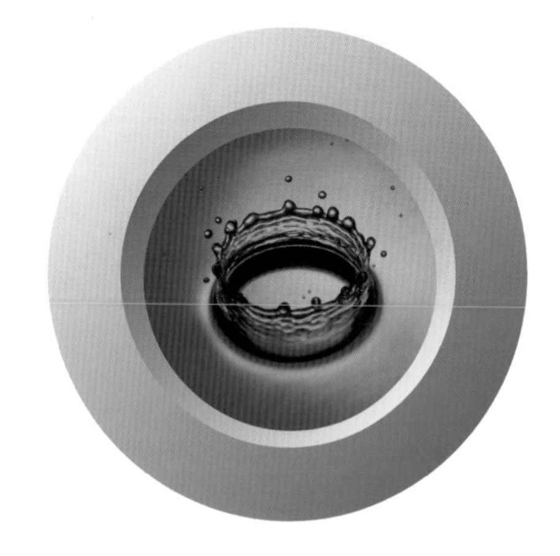

EAU

FEU

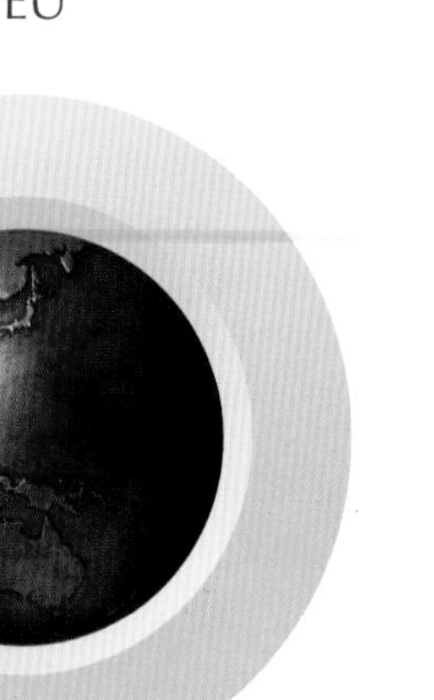

TERRE

En recherchant leur personnalité, la majorité des gens découvriront qu'ils ont un élément dominant. Même si nous sommes tous un mélange plus ou moins équilibré des cinq éléments, dans la plupart des cas, l'un d'entre eux prédomine.

Si vous parvenez à déceler l'élément dominant d'une personne, cela vous aidera énormément lorsque vous chercherez quel traitement lui appliquer. Le mieux est de commencer par vous-même en essayant de découvrir votre élément dominant. Nous vous avons déjà donné pas mal d'informations pour vous guider. Dans la section qui suit, nous allons étudier la personnalité liée à chacun des éléments. Bien évidemment, aucun être humain n'est assez simple pour qu'on puisse le décrire en quelques paragraphes ; les exemples donnés ne le sont qu'à titre pratique.

Après avoir essayé de deviner votre élément dominant, vous pourrez répondre au test proposé un peu plus loin et savoir ainsi si vous aviez vu juste. Une fois que vous aurez découvert votre élément dominant, il vous sera assez facile de le faire pour d'autres.

La personnalité de type eau

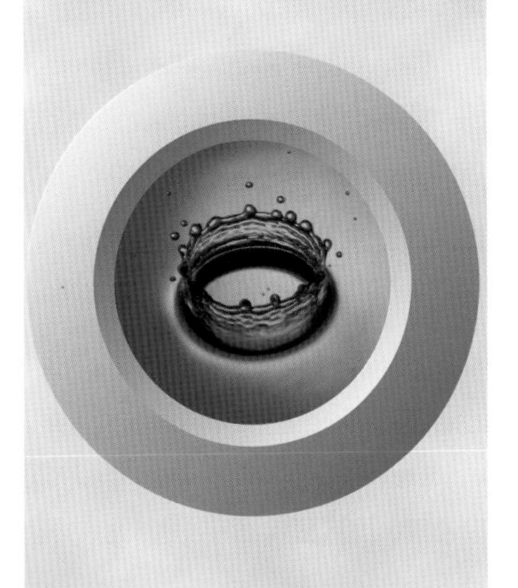

Les personnalités de type eau sont artistiques et préfèrent en général la réflexion à l'action. Elles sont fréquemment dotées d'une ossature solide et d'un front large. Leur intellect et leur imagination sont fort développés et elles ont tendance à vouloir toujours chercher la vérité. La patience est une de leurs vertus et si l'inspiration ou la motivation les habitent, elles sont capables de consacrer de longues heures à une même tâche.

Lorsque les choses tournent mal, elles ont tendance à se replier sur elles-mêmes. Leur autosuffisance devient alors extrême et elles s'enferment dans une coquille dont elles ne sortent plus et où nul ne peut entrer. Elles ressemblent dès lors à un ours qui hiberne : elles sont retranchées dans leur tanière émotionnelle et personne n'ose y pénétrer. Dans ces moments-là, le sommeil leur sert d'échappatoire. Elles vont rester le plus longtemps possible au lit et, lorsqu'elles finissent par se lever, il leur faudra un certain temps pour retrouver leur mobilité. Leur tendance à se replier sur elles-mêmes peut également se traduire par de l'hypocondrie et une obsession de l'hygiène corporelle.

Tout comme l'hiver fait place au printemps, l'ours se réveille et sort de sa tanière. Pour peu qu'on leur en laisse le temps, ces personnalités peuvent ranimer d'elles-mêmes leur désir de vivre. Si elles sont capables de garder un contact affectif avec les autres, cela pourra contrebalancer leur tendance à se replier sur elles-mêmes. On aura toujours besoin de leur esprit profond en autant qu'il ne laisse pas le cynisme l'envahir.

L'artiste fait appel à la force créatrice de l'énergie eau.

La personnalité de type bois

Les personnalités de type bois sont des explorateurs. Qu'il s'agisse de l'exploration intérieure d'un shaman ou d'un périple autour du monde, ces personnes sont beaucoup plus heureuses lorsqu'elles voyagent. Au meilleur de leur forme, elles peuvent courir d'une activité à l'autre à un rythme tel que bien d'autres seraient épuisés rien qu'à les regarder faire. Nul besoin pour elles de réfléchir longuement puisque, en une fraction de seconde, tout est organisé dans leur tête et elles sont d'attaque pour la tâche suivante.

L'inactivité est frustrante pour ce genre de personnes. Obligations mondaines et oisiveté les empoisonnent. Si elles ne se lancent pas à fond de train dans une nouvelle occupation, elles se sentent frustrées. Elles mangent souvent « sur le pouce » et font usage de caféine et d'alcool pour se garder actives ou au contraire pour freiner leur ardeur.

Si rien ne les empêche d'être en action, elles peuvent servir d'inspiration pour les autres. Leur grand sens de l'humour motive leurs collègues et leurs amis. Si, au contraire, elles sont freinées dans leur élan, toute l'énergie mentale qui leur permettait de passer sans effort d'une tâche à une autre va se trouver bloquée et colère et frustration feront leur apparition.

Une telle irritabilité pourra provoquer des maux de tête et de la dépression à moins que l'on ne trouve un exutoire à la tension mentale. Cette soupape peut consister en un sport de compétition ou une conversation enflammée. Si cela ne suffit pas, une certaine colère risque de subsister qui va les disposer à la mauvaise humeur. Sont-elles en mesure de transposer leur frustration en action qu'elles peuvent très vite redevenir les personnes ingénieuses et pleines de ressources qu'elles sont.

L'esprit pionnier existera toujours grâce à l'énergie bois.

La personnalité de type feu

La fête ne commence jamais vraiment tant que n'est pas arrivée la personne de type feu. Et lorsqu'elle se présente quelque part, même ceux qui ne la connaissent pas vont remarquer son entrée. Non pas parce qu'elle est bruyante ou qu'elle parle fort mais parce qu'elle dégage une sorte de rayonnement intérieur qui attire la sympathie des autres.

De telles personnes sont bavardes et elles auront tôt fait d'émouvoir tout le monde grâce à leur humour ingénieux. Une sorte de sensibilité instinctive leur dit quand ne pas s'approcher de quelqu'un. Au meilleur de leur forme, leur vie ressemble, aux yeux des autres, à une fête perpétuelle. Elles ont l'air de connaître tout le monde et chacun les apprécie pour l'amour sans borne qu'elles distribuent autour d'elles.

Ceux qui ne savent rien d'elles risquent de prendre leur spontanéité pour un manque de profondeur. En revanche, ceux qui les connaissent bien savent qu'elles ont une vie intérieure riche et qu'elles sont attirées par de nombreux aspects spirituels de la vie.

Leur plus gros problème, c'est qu'il leur arrive de brûler leur carburant trop rapidement. Dans leur besoin d'aimer et d'être aimées, elles risquent de dépenser toute leur énergie. Si tel est le cas, elles se retrouvent découragées et moroses. Elles ne prennent parfois pas assez de temps pour se reposer et s'en trouvent affaiblies et même léthargiques. La ville qui ressemblait pour elles à un immense terrain de jeux se transforme alors en un endroit trop vaste et effrayant.

Pour éviter de disperser ainsi leur énergie, elles doivent apprendre à lui fixer des limites et à ne pas la gaspiller entièrement en un clin d'œil.

Les personnalités de type feu aiment s'amuser avec les autres.

La personnalité de type terre

Si vous organisez une réception, ce serait une bonne idée de faire appel à une personne de type terre. Elle ne va sans doute pas être le boute-en-train de la fête mais elle saura comment rassembler les invités. C'est une personne attachante. Rien que son sourire apportera chaleur et réconfort et il lui permettra de régler tout problème éventuel. Sa vie durant, elle joue le rôle de conciliatrice.

Sérénité et harmonie, voilà ce à quoi aspirent les personnalités de type terre. Ce sont des personnes très aimantes qui souhaitent apporter ces deux qualités à tous ceux qui en ont besoin. Leurs nombreux amis ont confiance en elles et elles sont capables de les aider à régler des problèmes fondamentaux.

Cette nature généreuse risque cependant de jouer contre elles. Leur désir constant de vouloir faire plaisir et rendre service peut être mal interprété. Certains risquent de le voir comme une manière de se mêler des affaires d'autrui. Elles vont alors devoir se remettre en question et reconnaître qu'elles ne vivent que pour les autres.

Si elles ne se sentent pas appréciées, elles vont être malheureuses, ce qui se traduira par une inquiétude inutile et une tendance à l'autodérision. Il arrive fréquemment qu'elles se mettent à manger trop et mal pour compenser leur tristesse.

Les personnes de type terre constituent des éléments essentiels pour créer l'harmonie dans notre monde chaotique mais elles doivent veiller à s'occuper de leurs besoins personnels en plus de ceux des autres.

L'énergie terre est personnifiée par la mère qui élève et nourrit.

La personnalité de type métal

Les personnes de type métal sont en général des gens ordonnés. Leurs intérieurs sont toujours propres et bien rangés. Ils ont bon goût et grâce à un décor impeccable, leur maison paraît plus grande qu'elle ne l'est vraiment. Ils n'accumulent pas les objets inutiles et ne s'entourent pas de bibelots ni de souvenirs.

Leur vie professionnelle et sociale est tout aussi ordonnée. Personne n'empiète sur leurs frontières très bien établies. Leur spécialité, c'est de mettre au point des méthodes. Que ce soit des façons de travailler ou des trucs pour faire le tour du supermarché en dépensant le moins de temps et d'argent possible, elles trouvent habituellement le moyen d'être efficaces en fournissant un minimum d'effort.

Elles recherchent toujours la perfection et dans n'importe quelle situation, elles se servent de leur vive intelligence pour éliminer les détails et en venir droit au but. Leur quête de la perfection peut néanmoins représenter un problème permanent.

En effet, qui pourrait être constamment parfait ? Lorsque les choses tournent vraiment mal, ces personnes deviennent rigides et leur vie semble emprisonnée. Peu de place est alors laissée à la spontanéité et elles préfèrent mener une vie plus régulière, plus contrôlée.

Cette rigidité peut se manifester sur le plan physiologique. Une respiration incomplète risque de conduire à de l'asthme et des troubles intestinaux peuvent également survenir.

Des exercices de respiration et de relaxation s'avèrent utiles car ils permettent à ces personnes de mieux respirer et de lâcher prise pour pouvoir ensuite profiter davantage de la vie.

Le bureau de M. Métal est toujours net !

Quel est votre élément ?

BOIS

MÉTAL

EAU

FEU

TERRE

Le test ci-contre a pour but de vous aider à déterminer quel est votre élément dominant. Une certaine confusion règne ici car bien souvent, les gens pensent, à tort, qu'il va leur falloir développer leur élément dominant. Par exemple, une personnalité de type métal va sans doute envier la passion caractéristique d'une personnalité de type feu qui aime danser le flamenco avec toute la fougue qui la distingue. La différence entre les deux personnalités est la suivante : la personnalité de type feu va danser le flamenco sans se soucier de faire les pas qu'il faut alors que la personnalité de type métal devra apprendre les pas correctement avant d'avoir du plaisir à exécuter la danse. Si elle ne danse pas selon certaines règles bien établies, il ne s'agit pas pour elle de danser du flamenco mais plutôt de sautiller dans tous les sens.

Ce test n'est pas très approfondi car il risquerait d'être trop compliqué et pourrait vous empêcher de déterminer de manière intuitive quel est votre élément dominant. Vous pouvez essayer de trouver d'autres questions à inclure dans votre questionnaire personnel.

Déterminer votre élément dominant

Avez-vous une saison préférée ?

- A. Le printemps ☐
- B. L'été ☐
- C. La fin de l'été ☐
- D. L'automne ☐
- E. L'hiver ☐

Quelle est votre couleur préférée ?

- A. Vert ☐
- B. Rouge ☐
- C. Jaune ☐
- D. Blanc ☐
- E. Bleu ☐

Quelle saveur préférez-vous ?

- A. L'acide ☐
- B. L'amer ☐
- C. Le sucré ☐
- D. Le piquant ☐
- E. Le salé ☐

Votre voix est-elle…

- A. Forte ☐
- B. Riante ☐
- C. Chantante ☐
- D. Larmoyante ☐
- E. Gémissante ☐

Que préférez-vous ?

- A. Rivaliser ☐
- B. Agir ☐
- C. Nouer des liens ☐
- D. Être précis ☐
- E. Conserver ☐

Quel est le plus agréable pour vous ?

- A. Être exalté ☐
- B. Être amoureux ☐
- C. Vous sentir désiré ☐
- D. Savoir que vous avez raison ☐
- E. Vous sentir en sécurité ☐

Que faites-vous généralement ?

- A. Vous prenez des risques ☐
- B. Vous recherchez la stimulation ☐
- C. Vous préférez le confort ☐
- D. Vous portez vite des jugements ☐
- E. Vous recherchez la solitude ☐

Qu'aimez-vous le moins ?

- A. La perte de maîtrise de soi ☐
- B. L'ennui ☐
- C. Le changement ☐
- D. L'impureté ☐
- E. La distraction ☐

Quel est votre rôle préféré ?

- A. Le travailleur ☐
- B. L'amoureux ☐
- C. Le parent ☐
- D. Le dirigeant ☐
- E. L'artiste ☐

Quelle est votre plus grande force ?

- A. Votre enthousiasme ☐
- B. Votre charisme ☐
- C. Votre loyauté ☐
- D. Votre sens aigu du bien et du mal ☐
- E. Votre honnêteté ☐

Quel adjectif vous décrit le mieux ?

- A. Actif ☐
- B. Compatissant ☐
- C. Servile ☐
- D. Dominateur ☐
- E. Cultivé ☐

Qu'est-ce qui vous agace le plus ?

- A. La soumission ☐
- B. La méchanceté ☐
- C. L'avarice ☐
- D. Le manque de précision ☐
- E. Le gaspillage ☐

Quel malaise physique ressentez-vous le plus fréquemment ?

- A. Maux de tête ☐
- B. Déshydratation ☐
- C. Douleurs musculaires ☐
- D. Troubles intestinaux (constipation ou diarrhée) ☐
- E. Fatigue ☐

Que trouvez-vous de pire ?

- A. La lenteur ☐
- B. L'inactivité ☐
- C. L'isolement ☐
- D. Le désordre ☐
- E. L'ignorance ☐

Selon vous, quel est votre élément dominant ?

- A. Le bois ☐
- B. Le feu ☐
- C. La terre ☐
- D. Le métal ☐
- E. L'eau ☐

Comptez les points obtenus pour chaque lettre. (A) est le bois, (B) le feu, etc. Vous pouvez essayer de trouver votre élément le plus faible en posant la question à l'envers, par exemple en choisissant la couleur ou la saison que vous aimez le moins. Si vous ne pouvez répondre à l'une des questions, laissez-la de côté.

Vos atouts et vos points faibles

Si vous avez bien suivi les notions développées jusqu'à présent, vous devriez avoir une assez bonne idée de ce qu'est votre élément dominant. Au cas où vous éprouveriez encore de la difficulté à le trouver, il serait bon de demander de l'aide à quelqu'un de plus expérimenté que vous dans le domaine du shiatsu. Cette personne devrait être en mesure de vous faire d'autres suggestions.

L'exercice semble plus aisé pour certains que pour d'autres. Il n'est pas rare qu'il soit plus facile pour quelqu'un de déterminer son élément le plus fort une fois qu'il a compris en quoi consistent lesdits éléments. Si l'exercice s'est avéré plus difficile pour vous, ne vous en faites pas : cela signifie sans doute que votre énergie est bien répartie et que pour identifier votre élément dominant, il vous faudra user d'une méthode plus nuancée.

Une fois que vous avez établi quel est votre élément prédominant, que devez-vous faire ? Il vous est impossible de le changer puisqu'il fait partie de votre nature profonde. Le fait de comprendre vos forces et vos faiblesses peut néanmoins vous être d'une grande utilité dans la vie courante. Dès lors que vous aurez compris le pourquoi de vos comportements, il vous sera plus facile d'aider les autres par le biais du shiatsu. Cette discipline consiste donc autant à se découvrir soi-même qu'à soigner les autres.

Vous trouverez ci-après une brève description des atouts et des points faibles de chacun des cinq éléments.

Le feu

Un feu qui n'est pas maîtrisé va se propager au-delà de ses limites qui sont ici représentées par le métal. Dans le cycle de domination, le feu peut contrôler le métal. Puisque le métal nourrit l'eau, cela veut dire que l'eau est affaiblie et qu'elle n'est plus en mesure de contenir le feu.

Si le cœur domine ainsi les poumons, les conséquences physiques sont la peau sèche et la toux. Du point de vue mental, les émotions vont être en état d'ébullition et il pourrait être excessivement difficile de les maîtriser et de les garder dans des limites raisonnables.

Ne laissez pas votre feu brûler au point d'en perdre la maîtrise.

Lorsqu'un rein est affaibli, certains problèmes surgissent, tels que perte de la libido et douleurs à la miction. Les personnalités de type feu peuvent également devenir facilement distraites et être habitées par le doute.

Un feu trop important risque d'épuiser le foie qui l'alimente, ce qui se traduit par de la raideur articulaire. L'élément terre peut également se trouver cuit comme de l'argile et il s'ensuit une certaine rigidité des muscles.

En autant que la personne de type feu évite de se déshydrater et n'oublie pas de contenir son exaltation, le feu ne devrait pas prendre le dessus et consumer tout le reste.

La terre

En examinant de nouveau le cycle de domination, nous voyons que lorsque l'élément terre devient prédominant, il envahit l'élément eau. Il s'ensuit que la rate va limiter le fonctionnement des reins. Sur le plan physique, cela se traduit par certains problèmes comme la rétention d'eau. Du point de vue émotionnel, la personnalité de type terre a tendance à se mêler trop souvent des affaires des autres.

L'élément bois s'affaiblit lorsque l'élément eau n'est plus en mesure de le soutenir. La capacité à prendre des risques ou à se comporter d'une manière spontanée diminue, ce qui cause une stagnation du *ki*.

La tension artérielle risque d'augmenter car le cœur doit redoubler d'effort pour faire circuler le sang dans cette zone de stagnation. Il peut alors s'hypertrophier. La personne de type terre éprouve de la difficulté à se fixer des limites, occupée qu'elle est à tenter de faire entrer tout le monde dans la famille et d'en prendre soin.

Une des forces de l'élément terre réside dans la faculté d'établir des relations avec les autres et de satisfaire leurs besoins. Une personne de ce type devrait cependant se rappeler de nouer des liens avec son moi intérieur au lieu de dépenser sans cesse toute son énergie pour autrui.

Sans l'aspect intuitif de l'eau, une personne de type terre risque de devenir ennuyeuse et figée.

Le métal

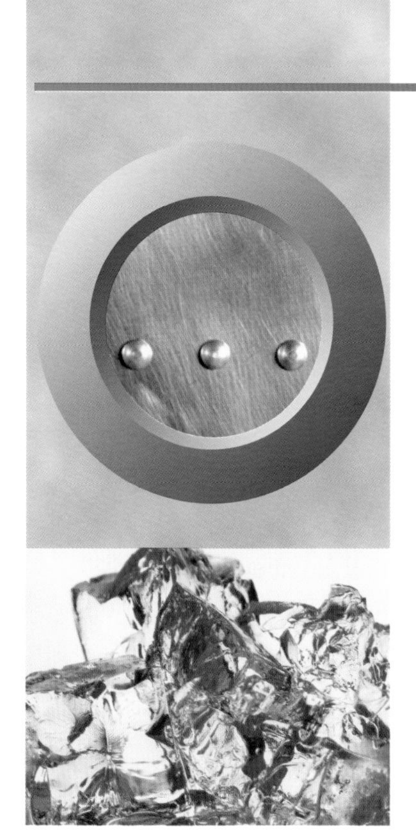

Si les poumons prennent le dessus, ils peuvent assez facilement entraver le cœur et le foie. La raison en est simple : l'élément métal démontre une pleine maîtrise de soi alors que le bois et le feu contrôlent moins bien les impulsions.

Lorsque l'énergie feu est emprisonnée par l'énergie métal, une personne peut devenir insensible et s'isoler des autres. La chaleur est retenue dans le système, ce qui peut entraîner constipation et asthme.

La constipation risque également d'exister sur le plan affectif : la personne garde en elle les problèmes émotifs qui devraient être normalement libérés. L'énergie se trouve ainsi emprisonnée dans les recoins les plus profonds de l'être et cette inhibition peut se manifester sous forme d'excroissances ou de tumeurs.

Le problème des personnes de type métal, c'est donc leur excès de retenue. Si elles peuvent apprendre à être plus flexibles et à relâcher un peu leur contrôle de soi, elles auront plus de chances de vivre avec les relations sociales et la passion caractéristiques des autres éléments. Si, à l'inverse, leur tendance à se renfermer en elles-mêmes devient prédominante, leur faculté naturelle à résoudre les petits problèmes de la vie ne sera alors jamais mise à profit.

Une personne de type métal peut paraître quelque peu insensible.

L'eau

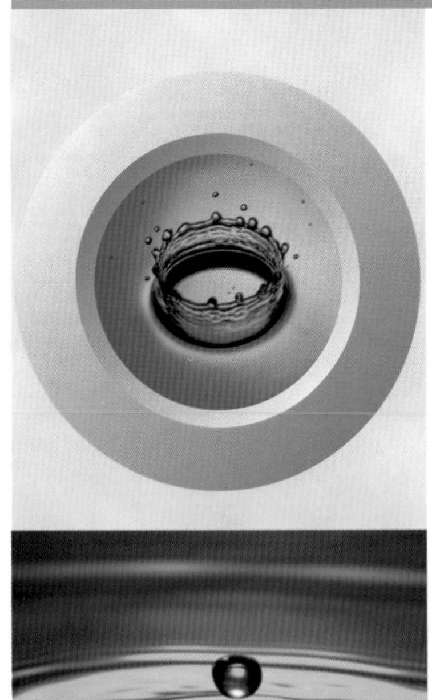

Lorsque les reins deviennent dominants, ils s'attaquent au cœur et à la rate. Une fois le cœur atteint, essayer d'éprouver de l'amour et de la chaleur, c'est un peu comme vouloir allumer un feu avec du bois humide. La personne de type eau devient de ce fait renfermée et sujette à la dépression.

Si l'on ajoute trop d'eau à la terre, celle-ci se transforme en boue. Cela se traduira par une tonicité musculaire insuffisante, un ventre rebondi et des intestins relâchés. Les poumons risquent d'être eux aussi épuisés par les demandes excessives des reins et cela conduit à des troubles respiratoires.

Les personnes de type eau peuvent paraître très dures et à l'écart des autres. Leur profondeur d'esprit n'est cependant jamais remise en question. Si les personnalités de type eau parviennent à acquérir davantage de sensibilité et de douceur, elles découvriront que leur intelligence et leur intuition ont un pouvoir inestimable.

Si elles ne veulent pas s'isoler des autres, les personnes de type eau devraient acquérir une plus grande sensibilité.

Le bois

Lorsque le foie est dominateur, il limite le *ki* de la terre et dérange donc la digestion. Cela peut également conduire une personne à vivre « dans sa tête » et l'empêcher d'avoir les pieds sur terre. Maux de tête et migraines sont alors fréquents.

Quand le *ki* agressif du foie attaque les poumons, une lutte s'engage entre l'extériorisation et la retenue. Les poumons risquent de se figer, ce qui provoque des mucosités.

Le type bois est un travailleur-né. Il n'est néanmoins pas toujours aidé par son alimentation qui laisse parfois à désirer et qui conduit à des déséquilibres nutritionnels, de la fatigue et de la dépression.

Une personne de type bois a besoin d'apprendre à conserver son sens de l'équilibre, même lorsqu'elle s'affaire d'une tâche à une autre. Elle parviendra ainsi à rééquilibrer et à maintenir le fonctionnement de son organisme et de ses émotions.

La plus grande force du bois réside dans sa capacité d'expansion et son accumulation rapide de pression. Il faut toutefois compenser cette aptitude à toujours aller de l'avant en sachant reconnaître à quel moment il est correct de renoncer.

Pour atteindre leur plein potentiel, les personnes de type bois doivent conserver leur équilibre physique et mental.

Tableau récapitulatif des cinq éléments

	Bois	Feu	Terre	Métal	Eau
Organe yin	Foie	Cœur	Rate	Poumon	Rein
Organe yang	Vésicule biliaire	Intestin grêle	Estomac	Gros intestin	Vessie
Couleur	Vert	Rouge	Jaune	Blanc	Bleu
Période de la vie	Enfance	Jeunesse	Maturité	Vieillesse	Mort
Époque de l'année	Printemps	Été	Fin de l'été	Automne	Hiver
Moment de la journée	Matin	Midi	Après-midi	Soirée	Nuit
Orifice	Yeux	Langue	Bouche	Nez	Oreilles
Émotion positive	Bonté	Amour	Justice	Courage	Douceur
Émotion négative	Colère	Haine	Inquiétude	Dépression	Peur
Tissus	Tendons	Sang	Muscles	Peau	Os
Saveur	Acide	Amer	Sucré	Piquant	Salé
Voix	Forte	Riante	Chantante	Larmoyante	Gémissante
Aptitude	Planification	Spiritualité	Opinions	Élimination	Volonté
Direction	Est	Sud	Centre	Ouest	Nord
Odeur	Rance	Brûlée	Parfumée	Âcre	Putride
Pouvoir	Expansion	Fusion	Modération	Contraction	Consolidation
Force	Initiative	Communication	Harmonie	Discrimination	Imagination
Aime	Défi	Intimité	Sociabilité	Organisation	Mystère

Les méridiens

Les illustrations qui suivent montrent les méridiens principaux présents dans le corps humain. Vous remarquerez que tous leurs points ne sont pas indiqués. En effet, contrairement à un acupuncteur qui utilise des points individuels, un praticien de shiatsu travaille plutôt sur l'ensemble du méridien.

Ne soyez pas surpris si, en feuilletant un autre ouvrage sur le sujet, vous découvrez de légères différences quant à l'emplacement des points énergétiques. Il peut effectivement exister quelques variations d'une personne à une autre.

Les tableaux de méridiens peuvent s'employer à la manière de cartes routières. Celles-ci vous donnent une bonne idée de l'endroit où vous allez mais vous devez trouver comment vous y rendre. Tout comme vous mémorisez rapidement un nouvel itinéraire si vous l'empruntez régulièrement, vous apprendrez très vite la position des méridiens et des *tsubos* ainsi que la manière de les percevoir. Le secret, c'est de vous exercer sans arrêt jusqu'à ce que vous repériez automatiquement leurs emplacements.

Le méridien des poumons

Le méridien des poumons comporte onze points réguliers, dont cinq sont présentés ici.

Numéro du point	*Nom*	*Localisation*	*Indications*
1	Point diagnostique des poumons	*1 cun* sous l'extrémité externe de la clavicule, entre les deux premières côtes	Toux ; régulation du *ki* des poumons, point diagnostiques des poumons
5	Point eau	Dans la cavité musculaire, du côté radial du pli du coude	Rhume, grippe ; pour éliminer les mucosités de la poitrine et les douleurs au coude
7	Rangée manquante	Du côté radial de l'avant-bras, 1,5 *cun* au-dessus de l'os du poignet	Toux, rhume, grippe, maux de tête, douleurs au poignet ; pour dégager les voies nasales
9	Point terre	Dans le creux situé sur le côté radial du pli du poignet	Toux, difficulté respiratoire, faiblesse pulmonaire ; dégage les mucosités
11	Point bois	Dans le coin radial de l'ongle du pouce	Mal de gorge, saignements de nez, vomissements

Le méridien des poumons

Le méridien des poumons comporte onze points réguliers, dont cinq sont présentés ici.

Le méridien de la vessie

Ce méridien important possède des points diagnostiques pour tous les autres méridiens. Il comporte soixante-sept points, dont quatorze sont présentés ici.

Numéro du point	***Nom***	***Localisation***	***Indications***
13	Point diagnostique des poumons	1,5 *cun* de part et d'autre de la 3e vertèbre dorsale	Toux, faiblesse pulmonaire, léthargie et mélancolie
14	Point diagnostique du péricarde	1,5 *cun* de part et d'autre de la 4e vertèbre dorsale	Troubles ou palpitations cardiaques ; apaise l'esprit ; problèmes dentaires
15	Point diagnostique du cœur	1,5 *cun* de part et d'autre de la 5e vertèbre dorsale	Insomnie ; apaise l'esprit, stimule le sang, améliore concentration et mémoire
16	Point diagnostique du vaisseau gouverneur	1,5 *cun* de part et d'autre de la 6e vertèbre dorsale	Douleurs thoraciques
17	Point diagnostique du diaphragme	1,5 *cun* de part et d'autre de la 7e vertèbre dorsale	Éructations, hoquet, douleurs thoraciques ; nourrit le sang
18	Point diagnostique du foie	1,5 *cun* de part et d'autre de la 9e vertèbre dorsale	Donne de l'énergie au foie et à la vésicule, nourrit les yeux
19	Point diagnostique de la vésicule biliaire	1,5 *cun* de part et d'autre de la 10e vertèbre dorsale	Nausées, vomissements
20	Point diagnostique de la rate	1,5 *cun* de part et d'autre de la 11e vertèbre dorsale	Épuisement, indigestion, vomissements ; renforce le *ki* de la terre
21	Point diagnostique de l'estomac	1,5 *cun* de part et d'autre de la 12e vertèbre dorsale	Indigestion, nausées ; renforce le *ki* de la terre
22	Point diagnostique du triple réchauffeur	1,5 *cun* de part et d'autre de la 1ère vertèbre lombaire	Rétention d'eau
23	Point diagnostique des reins	1,5 *cun* de part et d'autre de la 2e vertèbre lombaire	Maux de dos, impuissance ; renforce le *ki* de l'eau, surtout dans les reins
25	Point diagnostique du gros intestin	1,5 *cun* de part et d'autre de la 3e vertèbre lombaire	Renforce l'intestin grêle ; cystite
27	Point diagnostique de l'intestin grêle	1,5 *cun* de part et d'autre de la ligne médiane du sacrum	Troubles urinaires, douleurs dans le bas du dos
67	Point métal	Sur le coin externe du petit orteil	Maux de tête, insomnie, accouchement difficile (par le siège)

Le méridien de la vessie

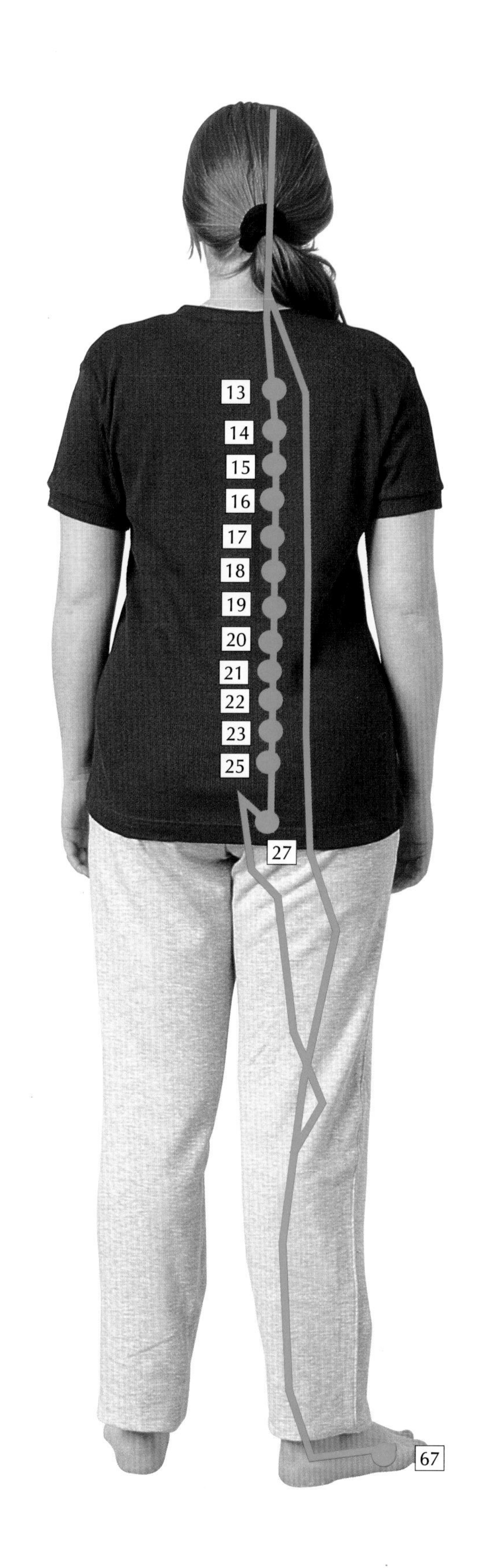

Le méridien du gros intestin

Le méridien du gros intestin comporte vingt points utilisés couramment, dont cinq sont présentés ici.

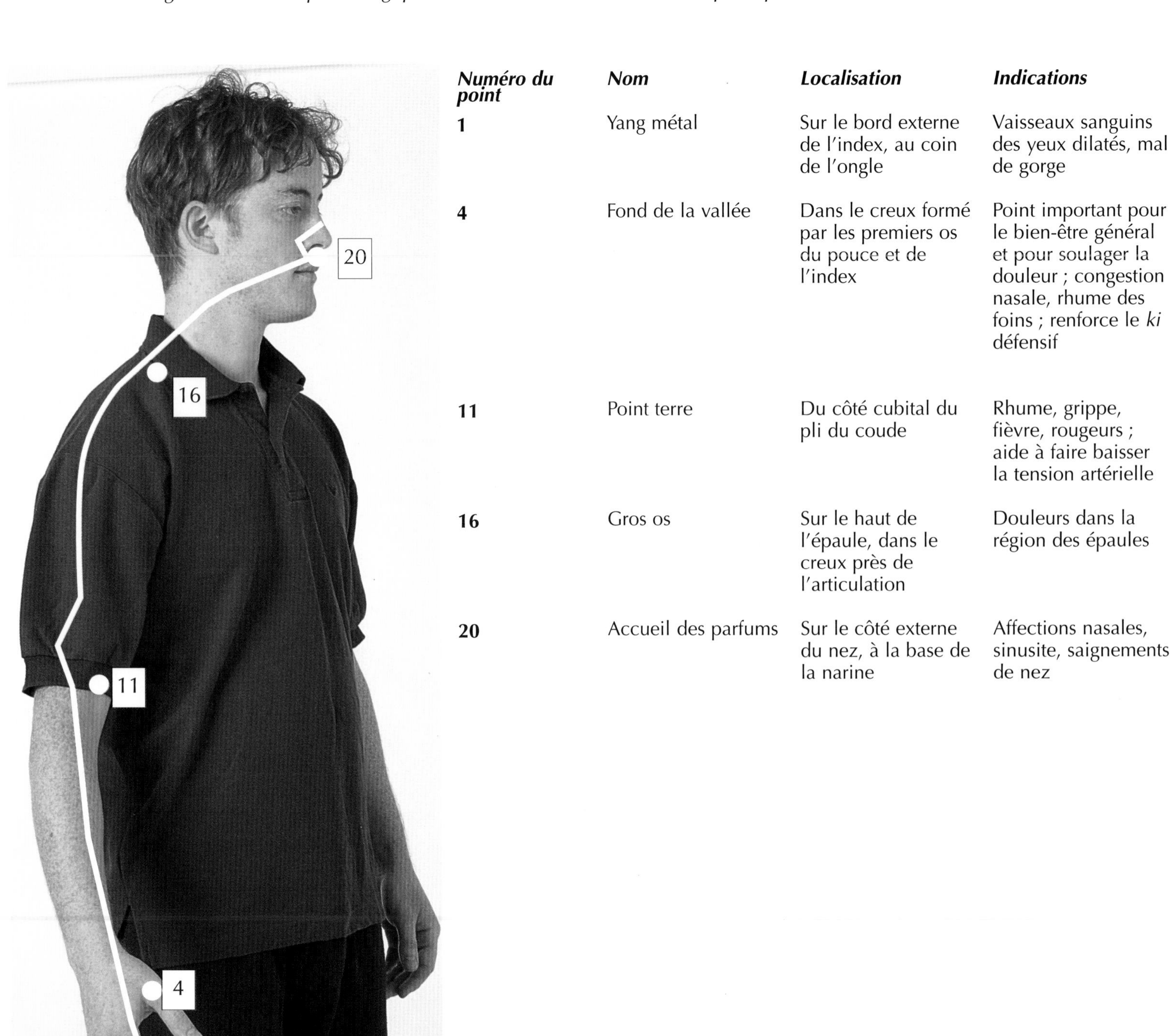

Numéro du point	Nom	Localisation	Indications
1	Yang métal	Sur le bord externe de l'index, au coin de l'ongle	Vaisseaux sanguins des yeux dilatés, mal de gorge
4	Fond de la vallée	Dans le creux formé par les premiers os du pouce et de l'index	Point important pour le bien-être général et pour soulager la douleur ; congestion nasale, rhume des foins ; renforce le *ki* défensif
11	Point terre	Du côté cubital du pli du coude	Rhume, grippe, fièvre, rougeurs ; aide à faire baisser la tension artérielle
16	Gros os	Sur le haut de l'épaule, dans le creux près de l'articulation	Douleurs dans la région des épaules
20	Accueil des parfums	Sur le côté externe du nez, à la base de la narine	Affections nasales, sinusite, saignements de nez

Le méridien des reins

Ce méridien comporte vingt-sept points généralement reconnus, dont quatre sont présentés ici.

Numéro du point	*Nom*	*Localisation*	*Indications*
1	Point bois	Sur la moitié avant de la plante du pied, sur la ligne médiane	Douleurs sur les côtés de la tête ; vitalité, bien-être général
3	Point terre	Dans le creux situé près du tendon d'Achille	Toute fonction rénale, entorse du pied, impuissance
7	Point métal	2 *cun* au-dessus de l'os de la cheville, en avant par rapport au tendon d'Achille	Rétention d'eau ; tonifie les reins, diminue la transpiration excessive
27		Dans l'espace compris entre la première côte et la clavicule	Os fragilisés ; pour chasser la peur ; troubles respiratoires

Le méridien de la vésicule biliaire

Ce méridien comporte quarante-quatre points, dont six sont présentés ici.

Numéro du point	***Nom***	***Localisation***	***Indications***
1	Échancrure de l'orbite	Sur le coin externe de l'œil	Rend les yeux plus brillants ; migraine
12	Mastoïde	Derrière l'oreille, dans le creux situé entre les deux muscles, juste sous l'os crânien	Maux de tête, migraine, fièvre, mal de dents
21	Puits de l'épaule	Sur l'épaule, près du cou, au point le plus élevé du muscle	Maux de tête ; renvoie l'énergie vers le bas du corps ; raideur dans le cou et les épaules
30	Sauter dans l'anneau	Sur le côté de la hanche	Sciatique, douleurs arthritiques et rhumatismales dans les jambes
40	Voûte du tertre	Dans le creux situé sous l'os de la cheville	Calculs biliaires, retard de la miction, douleurs dans le cou
44	Yin du pied	Sur le quatrième orteil, dans le coin extérieur de l'ongle	Maux de tête, douleurs autour des yeux

Le méridien du foie

Le méridien du foie comporte quatorze points, dont six sont présentés ici.

Numéro du point	***Nom***	***Localisation***	***Indications***
1	Grande montagne	Sur le bord externe du gros orteil, au coin de l'ongle	Troubles menstruels
3	Point terre	Sur le cou-de-pied, dans l'angle compris entre le gros et le deuxième orteil	Crampes, spasmes musculaires, maux de tête, douleurs aux pieds ; apaise l'esprit
4	Point métal	Dans l'espace entre les tendons, sur la face interne de la cheville	Régule la circulation du *ki* ; impuissance, ballonnements
8	Point eau	Sur le bord interne du pli du genou	Troubles de la vessie ; relâche les tendons
13	Point diagnostique de la rate	À l'extrémité de la 11e côte (flottante)	Troubles intestinaux ; renforce la rate ; ballonnements
14	Point diagnostique du foie	En alignement avec le mamelon, entre la 6e et la 7e côte	Nausées

Le méridien de la vésicule biliaire

Ce méridien comporte quarante-quatre points, dont six sont présentés ici.

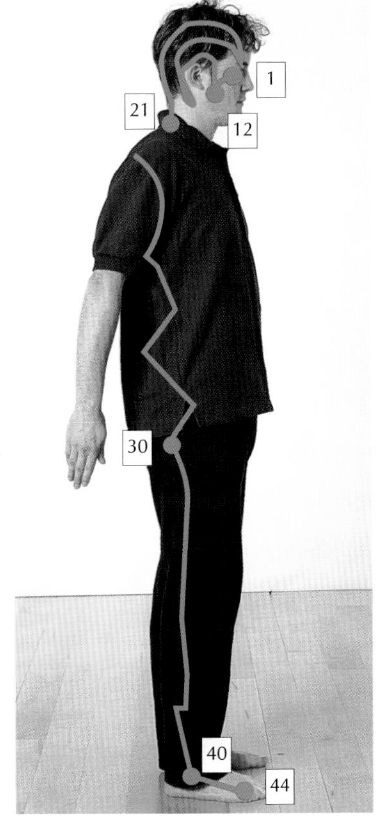

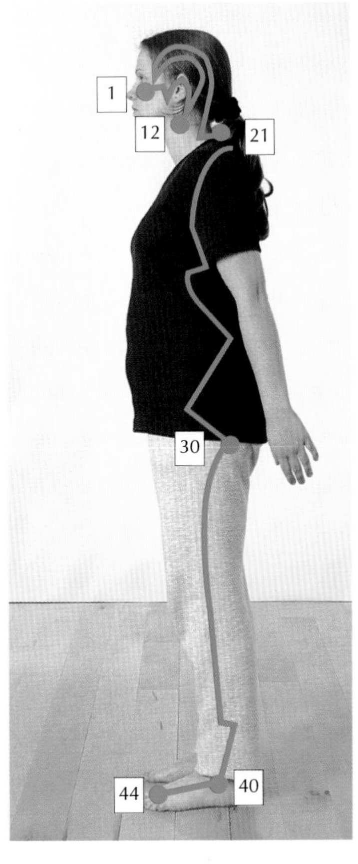

Le méridien du foie

Le méridien du foie comporte quatorze points, dont six sont présentés ici.

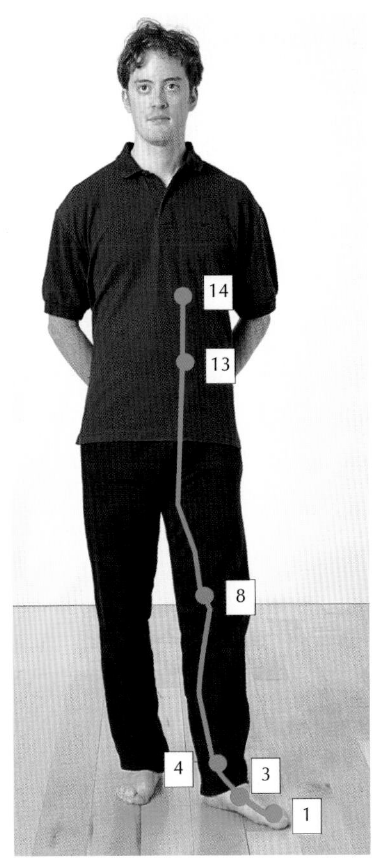

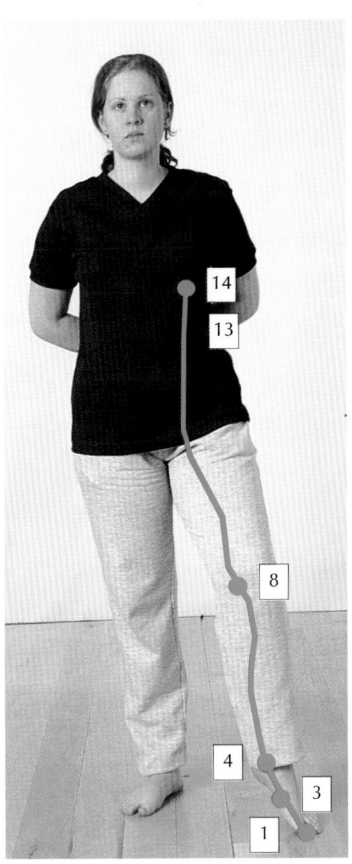

Le méridien du cœur

Le méridien du cœur comporte neuf points, dont quatre sont présentés ici.

Numéro du point	*Nom*	*Localisation*	*Indications*
1	Source suprême	Au milieu de l'aisselle	Immobilité du bras ; apaise l'esprit
3	Point eau	Sur la face interne du coude, à l'extrémité interne du pli du coude	Dépression, épaule bloquée ; apaise l'esprit ; insomnie
7	Point terre	Dans le pli du poignet, du côté cubital	Apaise l'esprit, nourrit le sang
9	Point bois	Sur le bord interne de l'auriculaire, à la racine de l'ongle	Apaise l'esprit ; évanouissements

Le méridien de l'intestin grêle

Le méridien de l'intestin grêle comporte dix-neuf points, dont sept sont présentés ici.

Numéro du point	*Nom*	*Localisation*	*Indications*
1	Petit marécage	Sur le bord extérieur de l'auriculaire, dans le coin de l'ongle	Maux de tête, mal de gorge, fièvre
3	Vallon postérieur	Sur le bord extérieur de l'articulation de l'auriculaire	Maux de tête, fièvre
8	Petite mer	Du côté interne de l'articulation du coude, dans le creux très sensible	Douleurs au coude et dans le cou, gonflement des ganglions du cou
9	Débloquer l'épaule	1 *cun* au-dessus de l'aisselle	Épaule ankylosée
10	Point de l'humérus	Dans le creux, juste au-dessus du point 9 de l'intestin grêle	Épaule ankylosée
11	Principe céleste	Au milieu de l'omoplate	Épaule ankylosée
19	Palais de l'ouïe	En avant de l'oreille moyenne	Affections des oreilles, bourdonnements

Le méridien du cœur

Le méridien du cœur comporte neuf points, dont quatre sont présentés ici.

Le méridien de l'intestin grêle

Le méridien de l'intestin grêle comporte dix-neuf points, dont sept sont présentés ici.

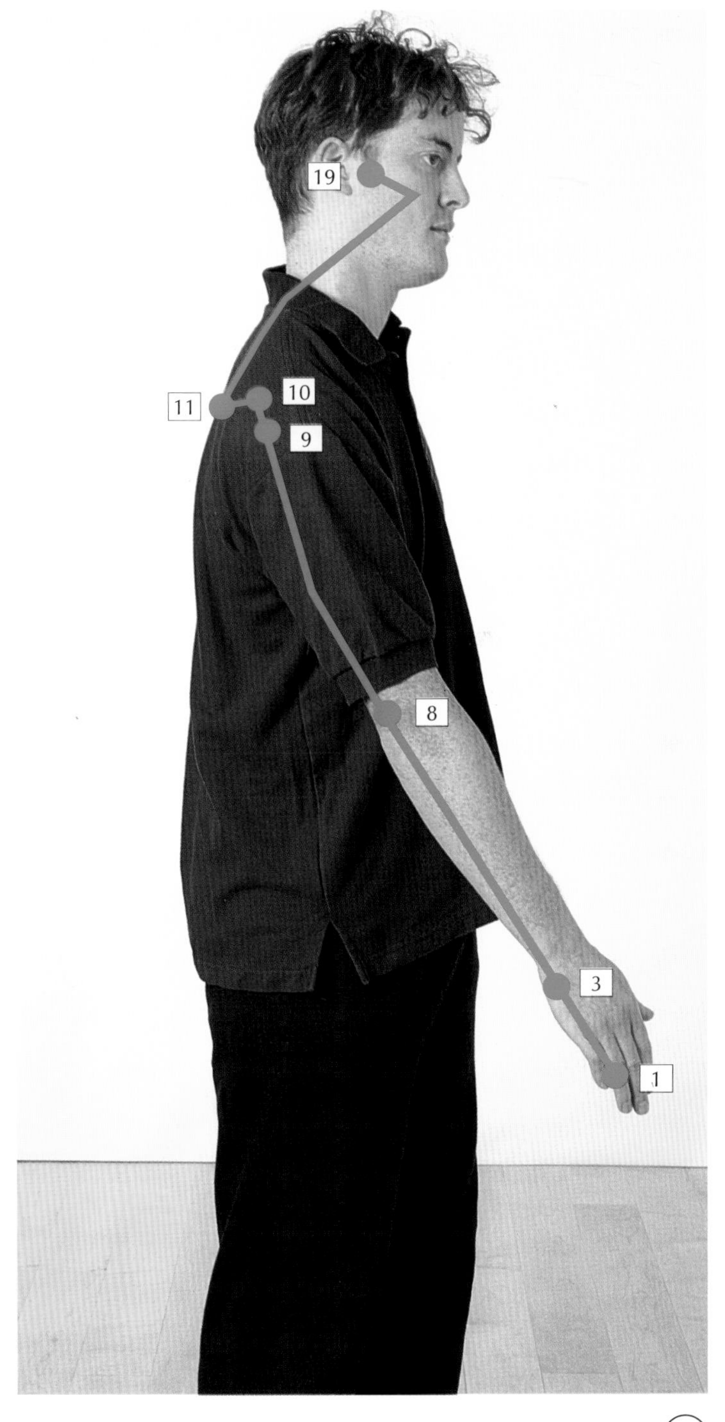

Le méridien du triple réchauffeur

Le méridien du triple réchauffeur comporte vingt-trois points, dont quatre sont présentés ici.

Numéro du point	*Nom*	*Localisation*	*Indications*
1	Barrière d'assaut	Sur le bord externe de l'annulaire, à la base de l'ongle	Maux d'oreilles, mal de gorge, fièvre
5	Barrière externe	Sur le dessus de l'avant-bras, 2 *cun* au-dessus du pli du poignet, entre les tendons	Fièvre, bourdonnements, affections des oreilles, migraines, mal de gorge, mal de dents
10	Puits céleste	Dans le creux situé au-dessus du coude	Douleurs aux bras, gonflement des ganglions lymphatiques, mal de gorge
23	Bambou percé	À la pointe externe du sourcil	Douleurs aux yeux, maux de tête, paralysie faciale, douleurs dans le côté du visage

Le méridien du péricarde

Le méridien du péricarde comporte neuf points, dont cinq sont présentés ici.

Numéro du point	*Nom*	*Localisation*	*Indications*
1	Étang céleste	À 1 *cun* du mamelon dans l'espace intercostal	Oppression thoracique
3	Courbe de marécage	Au centre du pli du bras	Insolation, crampes dans les bras ; apaise l'esprit
6	Barrière interne	Sur la ligne médiane de l'avant-bras, 2 *cun* au-dessus du pli du poignet	Dépression et anxiété ; apaise l'esprit ; menstruations douloureuses, oppression thoracique, tension prémenstruelle, nausées
8	Lao gung	Au centre de la paume	Point important en *chi gung* ; apaise l'esprit
9	Assaut du milieu	À l'extrémité du majeur	Coup de chaleur ; apaise l'esprit

Le méridien du triple réchauffeur

Le méridien du triple réchauffeur comporte vingt-trois points, dont quatre sont présentés ici.

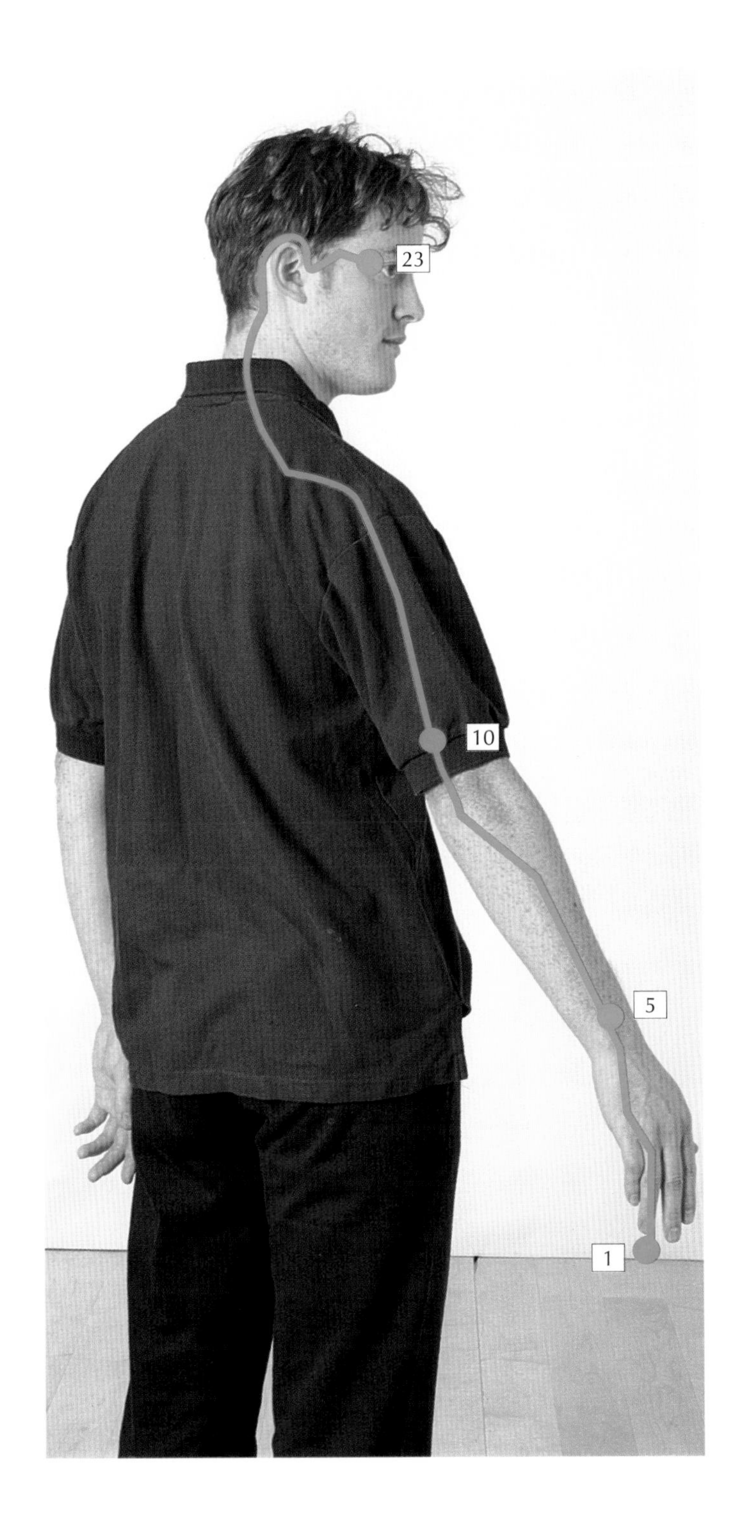

Le méridien du péricarde

Le méridien du péricarde comporte neuf points, dont cinq sont présentés ici.

Le méridien de l'estomac

Le méridien de l'estomac comporte quarante-cinq points, dont neuf sont présentés ici.

Numéro du point	***Nom***	***Localisation***	***Indications***
1	Réceptacle des larmes	Au-dessous de la pupille, entre l'œil et l'orbite	Affections des yeux
3	Grand os	En alignement avec la pupille, sous l'extrémité inférieure de la pommette	Paralysie faciale, affections du nez
17	Mamelon	Au centre du mamelon	N'est pas utilisé en shiatsu, sauf comme point de référence
25	Point diagnostique du gros intestin	2 *cun* de part et d'autre du nombril	Douleurs abdominales, constipation ; aide au fonctionnement du gros intestin ; ballonnement dû à la rétention d'aliments
36	Trois lieues de la jambe	3 *cun* au-dessous de la rotule	Point principal pour renforcer l'estomac et la rate
40	Grande abondance	À mi-jambe, sur le côté extérieur du tibia	Voies respiratoires bloquées, constipation ; apaise l'esprit
42	Solaire assaillant	Entre les os sur le cou-de-pied	Apaise l'esprit ; tonifie le *ki* de la terre
44	Point d'eau	Dans la dépression formée par les premiers os du deuxième et du troisième orteil	Favorise la digestion, régule un excès de *ki* ; flatulences
45	Paiement cruel	Sur le coin, situé près du gros orteil, de l'ongle du deuxième orteil	Draine l'excès d'énergie présent dans la tête ; cauchemars, maux de tête

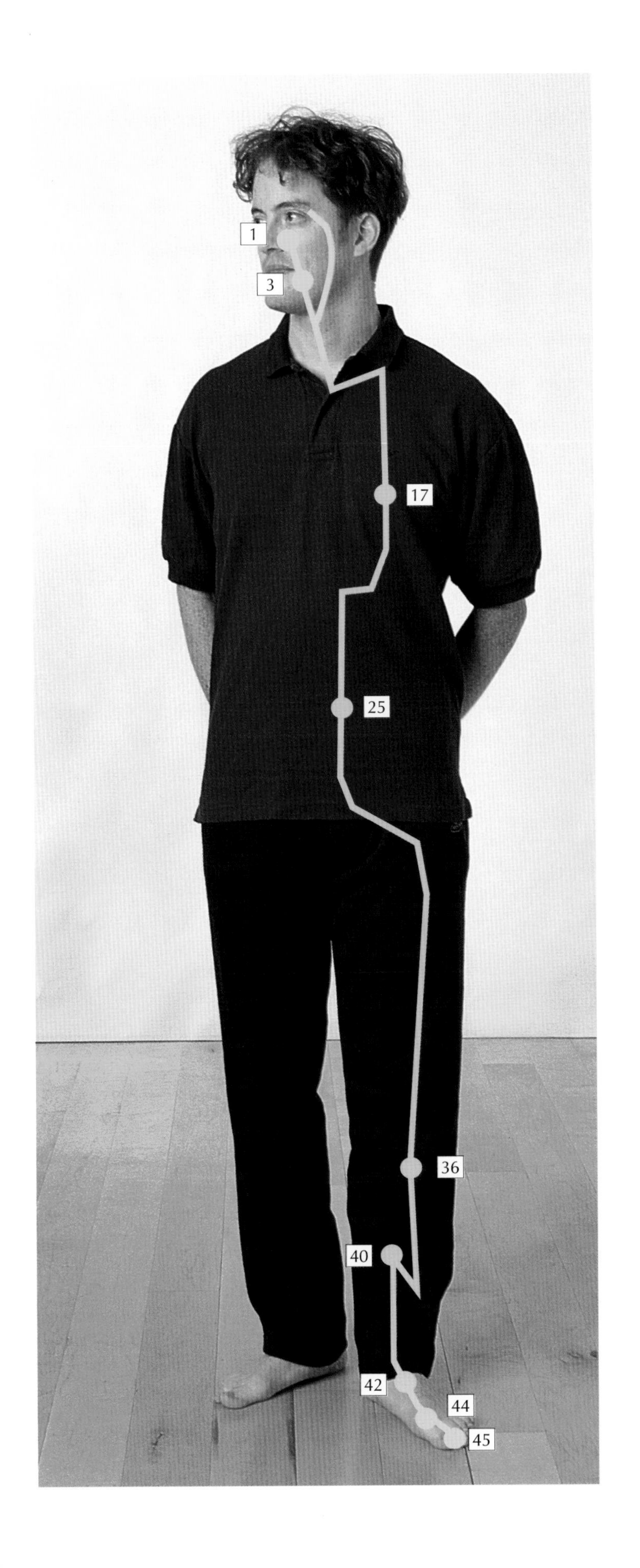
1
3
17
25
36
40
42
44
45

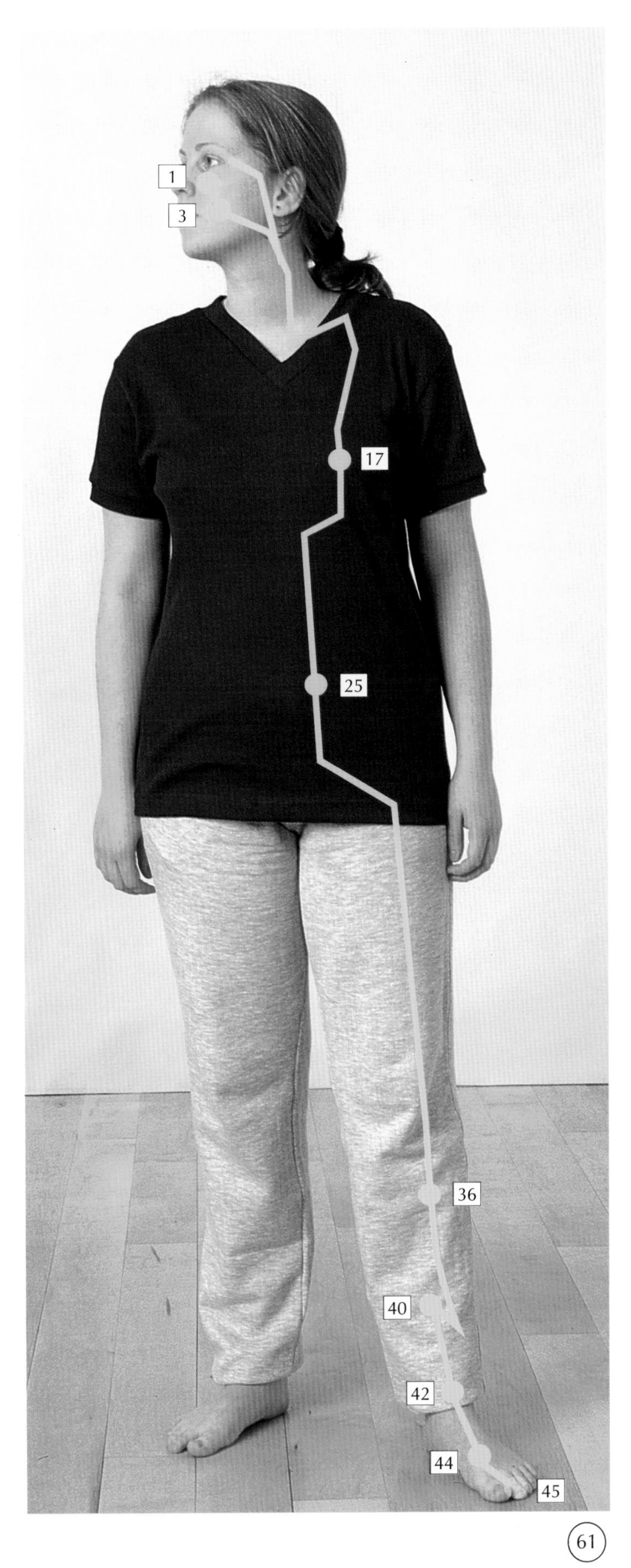
1
3
17
25
36
40
42
44
45

Le méridien de la rate

Le méridien de la rate comporte vingt et un points, dont six sont présentés ici.

Numéro du point	*Nom*	*Localisation*	*Indications*
1	Blanc caché	Sur le coin extérieur de l'ongle du gros orteil	Troubles menstruels ; arrête tout saignement
3	Point terre	Dans le creux situé sur le côté externe du gros orteil, en arrière de l'articulation	Épuisement, mucosités pulmonaires, troubles intestinaux (constipation ou diarrhée) ; tonifie la rate
6	Réunion des trois yin (les méridiens des reins et du foie passent par ce point)	3 *cun* au-dessus de l'os de la cheville	Point qui réside au bien-être général ; malaises gynécologiques ; tonifie la rate
9	Point eau	Sur la face interne de la jambe, sur le tibia	Douleurs au genou ; bénéfique à la vessie ; cystite
10	Mer de sang	2 *cun* au-dessus de la rotule, sur le renflement du muscle	Problèmes de peau, troubles mentruels
21	Grand régisseur	Sous l'aisselle, dans le sixième espace intercostal	Bénéfique aux diabétiques ; douleurs musculaires

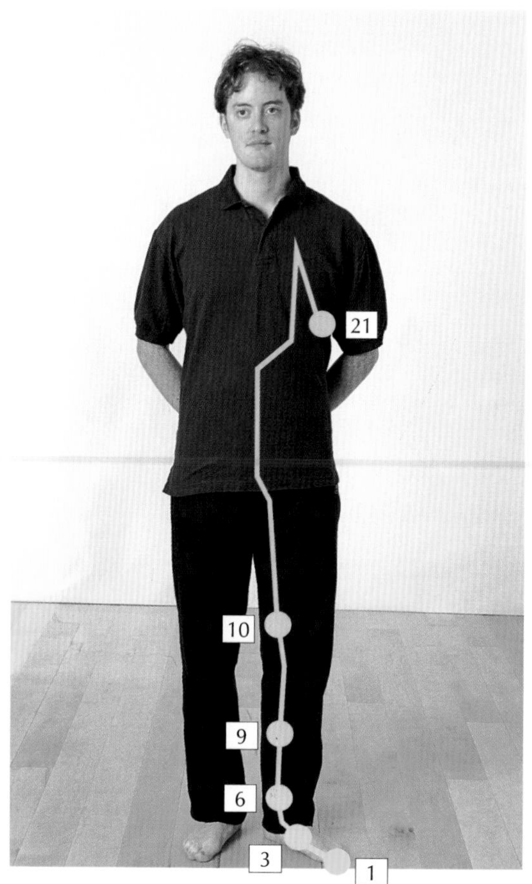

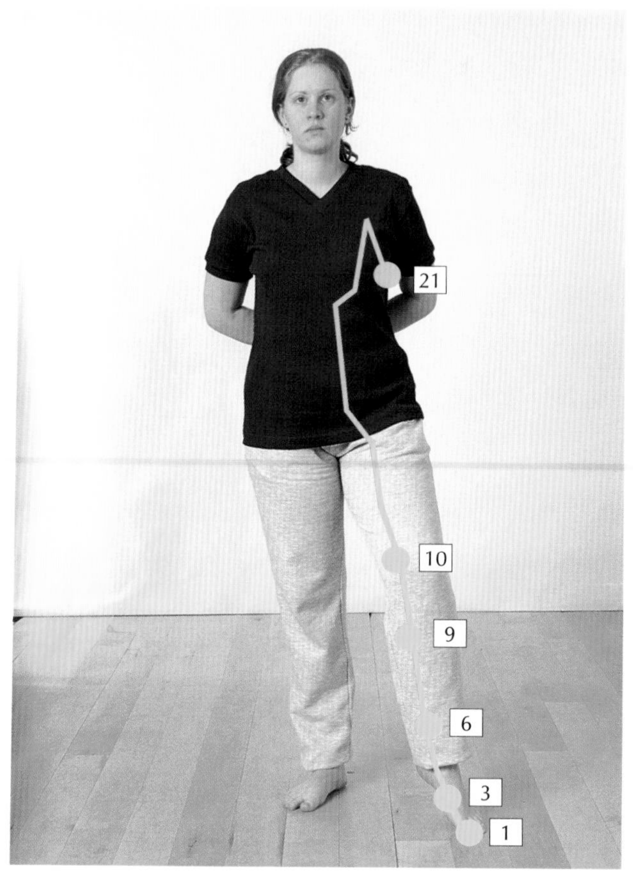

Le méridien du vaisseau gouverneur

Le méridien du vaisseau gouverneur comporte vingt-huit points, dont cinq sont présentés ici.

Numéro du point	*Nom*	*Localisation*	*Indications*
1	Chang chiang	Au-dessous du sacrum	Aide à trouver l'équilibre mental ; hémorroïdes
4	Ming men (Porte de la vie)	Entre la 2e et la 3e vertèbre lombaire	Problèmes de la sexualité ; équilibre les reins
6	Chi chung	Entre la 11e et la 12e vertèbre dorsale	Donne de l'énergie au cœur ; hyperactivité
14	Grande vertèbre	Entre la 6e et la 7e vertèbre cervicale	Stimule le cerveau
20	Cent réunions	Sur le sommet de la tête	Maux de tête, hémorroïdes

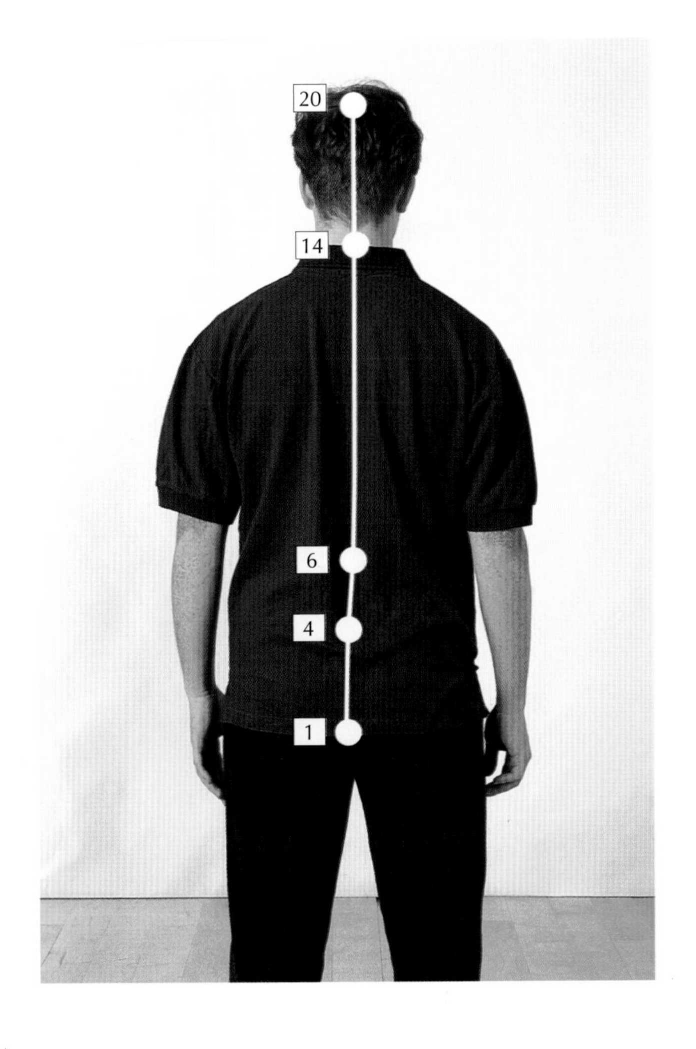

Le méridien du vaisseau conception

Le méridien du vaisseau conception comporte vingt-quatre points, dont six sont présentés ici.

Numéro du point	*Nom*	*Localisation*	*Indications*
3	Point diagnostique de la vessie	4 *cun* au-dessous du nombril	Troubles menstruels ; bénéfique à la vessie ; cystite, rétention urinaire
4	Tan tien	3 *cun* au-dessous du nombril	Troubles menstruels ; attire le *ki* vers le bas et règle l'esprit ; mal de dos ; renforce les reins et le *ki* originel
14	Point diagnostique du cœur	6 *cun* au-dessus du nombril	Apaise l'esprit ; indigestion d'origine nerveuse
17	Point diagnostique du péricarde	Au milieu du sternum, entre les mamelons	Toux, gêne respiratoire ; déplace le *ki* dans le thorax
22	Saillie céleste	Dans le creux situé juste au-dessus du sternum	Toux et problèmes pulmonaires
24	Récepteur de la salive	Sous la lèvre inférieure	Mal de dents

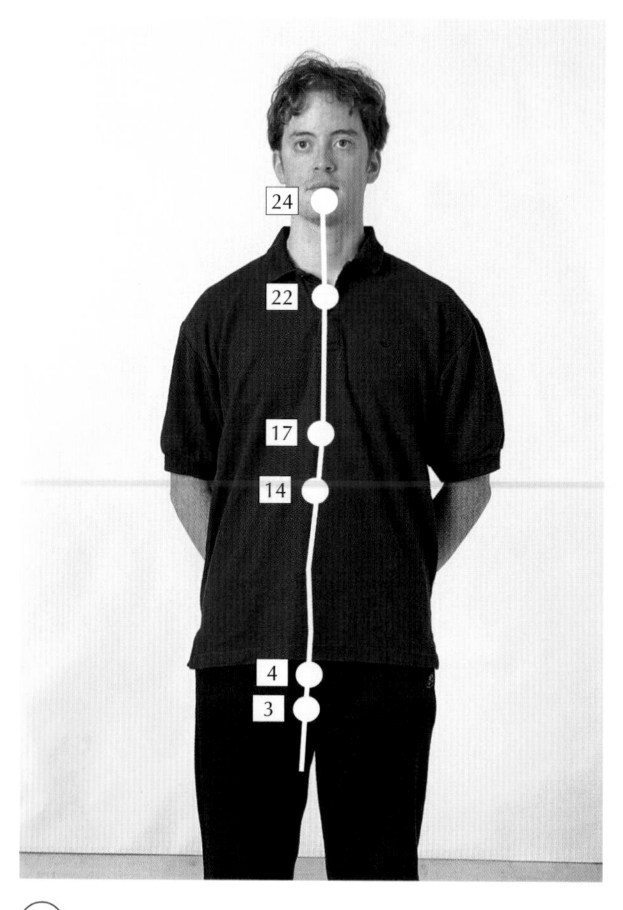

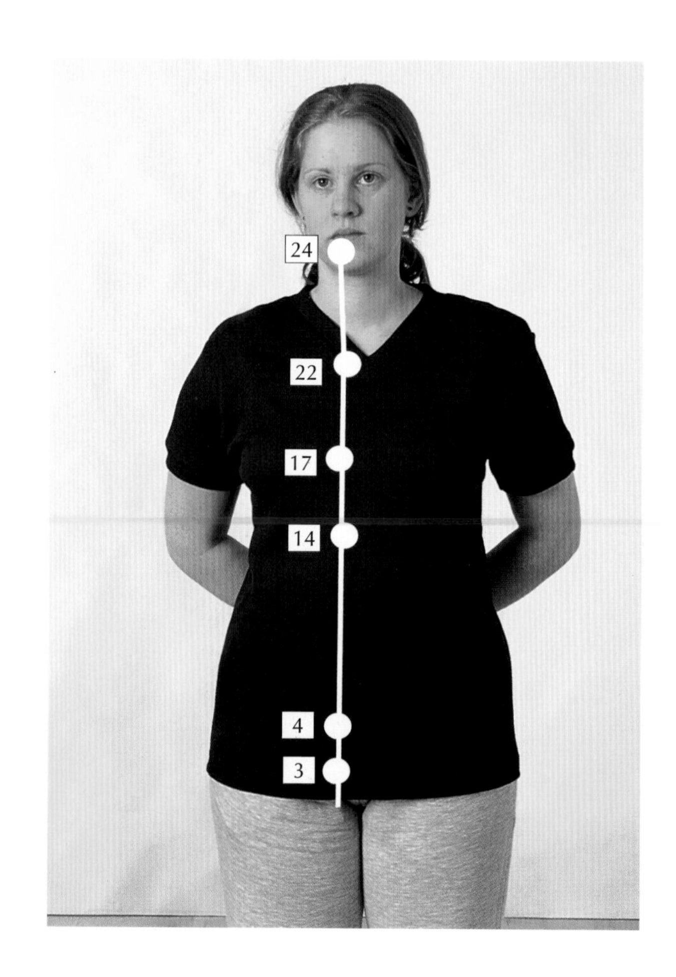

Le diagnostic en shiatsu

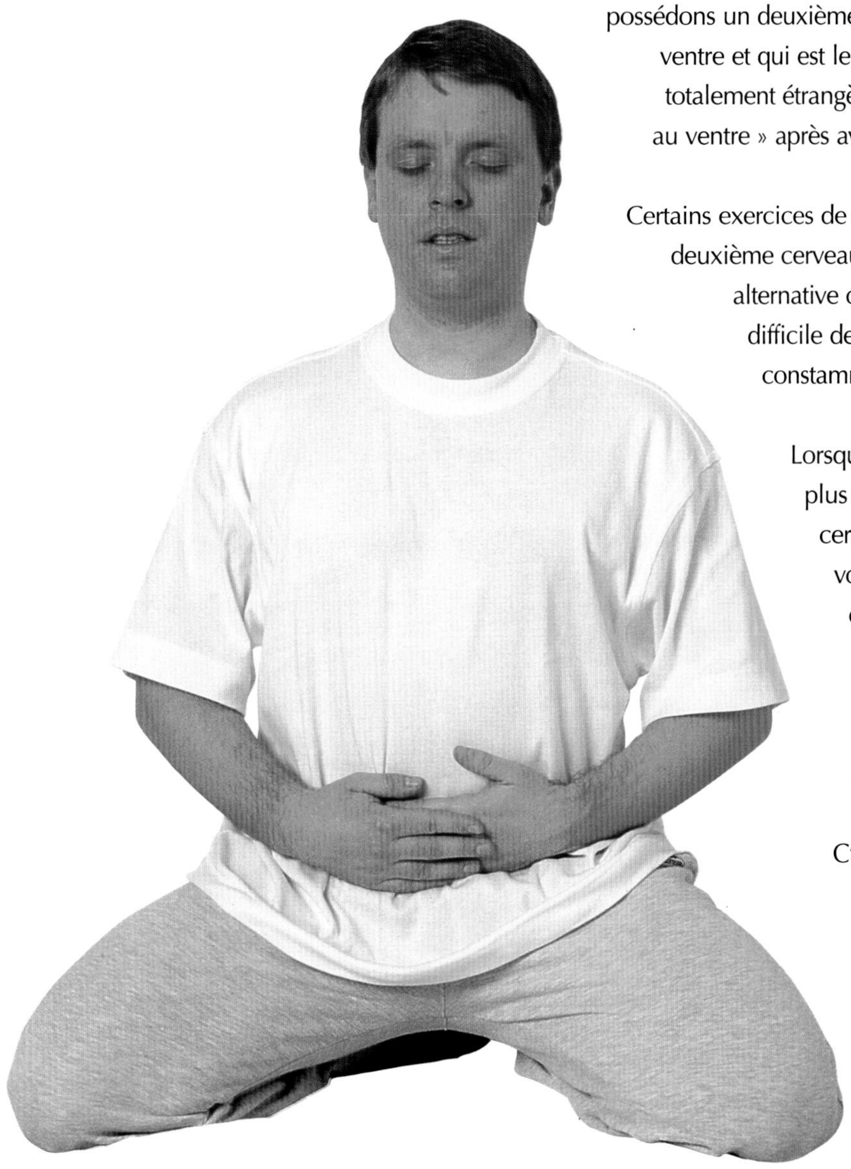

Selon la théorie taoïste, notre pensée n'est pas confinée à notre cerveau. Nous possédons un deuxième cerveau, ou *hara* (terme japonais), situé dans notre bas-ventre et qui est le siège de la conscience. Cette notion ne nous est pas totalement étrangère puisque nous avons tous eu un jour ou l'autre « mal au ventre » après avoir vu, vécu, entendu ou appréhendé quelque chose.

Certains exercices de méditation peuvent nous apprendre à nous servir de ce deuxième cerveau pour ne pas toujours compter sur le premier. Cette alternative offre un avantage certain. En effet, alors qu'il est très difficile de faire cesser le dialogue intérieur qui se déroule constamment dans notre tête, le *hara*, lui, n'est pas sollicité.

Lorsqu'on veut poser un diagnostic en shiatsu, la tâche semble plus facile si l'on peut se servir de son *hara* à la place de son cerveau supérieur. Si vous n'avez pas un *hara* développé, il vous sera difficile de percevoir votre propre énergie ou celle d'autrui car, l'esprit assailli par trop de pensées, vous serez incapable de prendre une décision. C'est un peu comme si l'on voulait reconnaître une voix dans une foule quand toutes les autres voix sont plus fortes que celle que l'on veut entendre.

C'est pour cette raison qu'un praticien expérimenté saura en général très rapidement quel traitement adopter. Il ne s'agit pas là de deviner vaguement mais bien de suivre certaines règles. Il se peut même que le traitement soit modifié en cours de route. Si vous êtes attentif à votre *hara*, vous ressentirez la nécessité de modifier le cours du traitement et serez en mesure de lui garder toute sa fluidité.

Ce processus ressemble à celui d'un expert en art martial qui est en mesure de prédire un mouvement de son adversaire avant même que celui-ci ne l'exécute.

Il existe de nombreuses méthodes de diagnostic utilisées en shiatsu et les ouvrages écrits sur le sujet abondent. La plupart des thérapeutes connaissent plusieurs techniques dont ils se servent pour confirmer leur diagnostic. Voici une brève description de quelques-unes d'entre elles.

Interroger

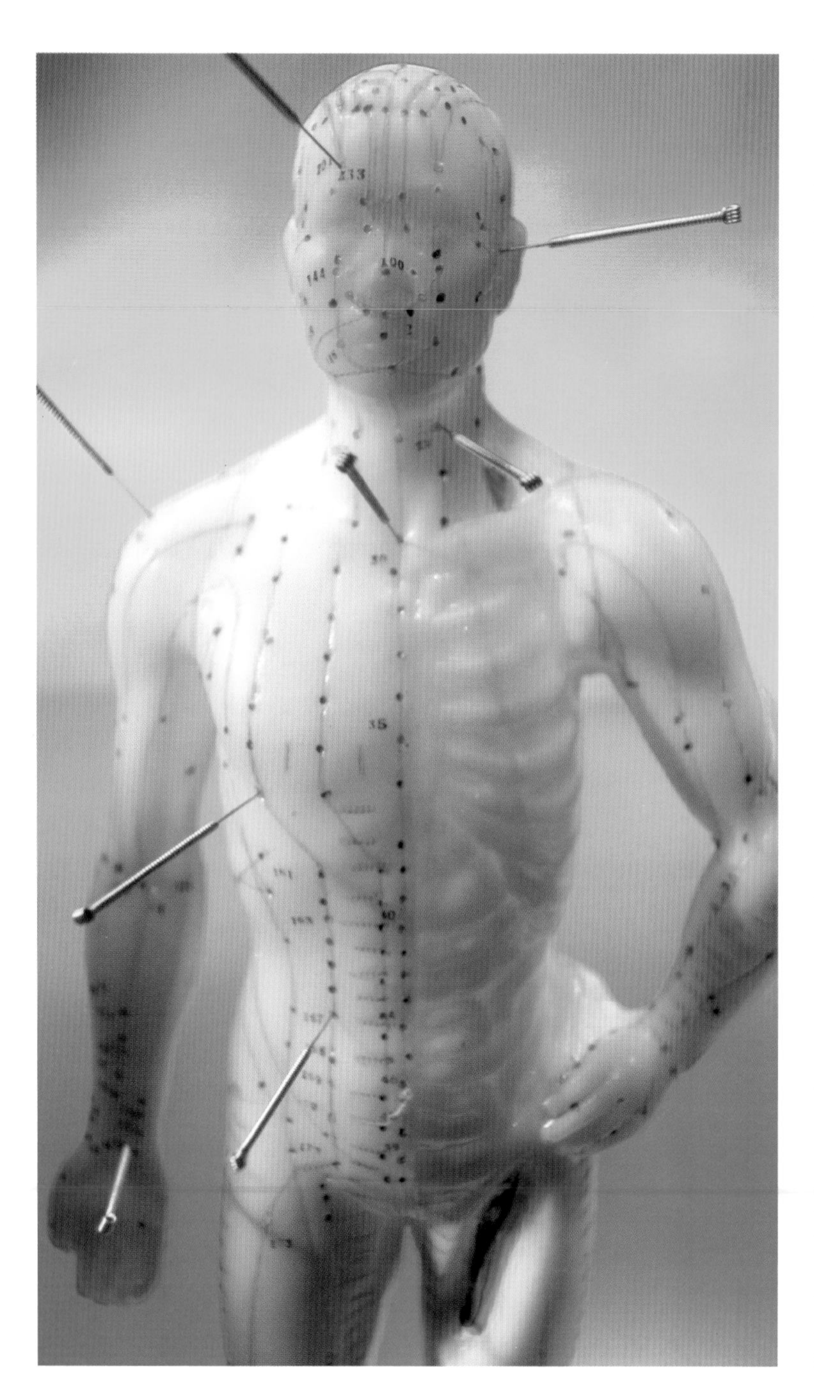

Lors de la première séance de shiatsu, le praticien se sert habituellement d'un questionnaire qu'il a lui-même établi et qui va servir comme point de départ dans le choix des soins à prodiguer. Il permet au client d'expliquer au thérapeute ce qu'il attend du traitement. L'inconvénient majeur de cet interrogatoire est que la personne peut délibérément éviter les éléments qui sont à l'origine de ses problèmes.

Voici quelques questions couramment posées :

Pourquoi le client a-t-il recours au shiatsu ?

Quel est son état de santé actuel ?

Y a-t-il des facteurs de risque connus ?

Prend-il des médicaments ou des drogues ?

A-t-il des antécédents de maladies ou de blessures ?

A-t-il subi des opérations chirurgicales ?

Quelles sont ses habitudes alimentaires ?

Quelle est sa saveur préférée et celle qu'il aime le moins ?

- Le salé
- Le sucré
- L'acide
- L'amer
- Le piquant
- Aucune

Consomme-t-il de l'alcool ?

Est-il fumeur ?

Fait-il de l'exercice ou de la méditation ?

Il n'est pas difficile de mettre au point votre propre questionnaire. Pour vous exercer, vous pouvez essayer d'en faire un sur vous-même ; cela vous permettra de décider quels renseignements semblent pertinents en vue d'un traitement. Vous pouvez au besoin vous inspirer de la section qui décrit les caractéristiques de chacune des personnalités associées aux cinq éléments.

Écouter et sentir

Lorsque vous posez au receveur des questions personnelles, il arrive souvent que ses réponses vous induisent en erreur. Par exemple, une personne aux prises avec un problème de dépendance à l'alcool ou aux drogues évitera complètement le sujet tant qu'elle n'aura pas reconnu qu'elle a un problème. En général, si un individu montre une faiblesse dans l'une de ses énergies, il fera tout son possible pour ne pas en parler.

Dans ce genre de cas, ne se baser que sur un interrogatoire rend la tâche difficile. C'est pourquoi l'on a recours à d'autres méthodes diagnostiques qui consistent, entre autres, à écouter et à sentir.

Il faut écouter le ton, le rythme ainsi que le contenu du discours.

Écouter

Dans cette étape, vous vous intéresserez moins à ce que dit la personne qu'à la manière dont elle le dit. Il faut analyser le ton de la voix puis, en tenant compte des cinq éléments, déterminer lequel a besoin d'être travaillé.

Apprendre à identifier cette information au cours d'une conversation ressemble à la tâche du musicien qui apprend à reconnaître une note. L'exercice paraîtra plus aisé à certains qu'à d'autres. Ne vous en faites pas toutefois si vous n'avez aucun talent musical car il s'agit ici de déterminer une intonation et non des notes individuelles. Une petite mise en garde ici : il est facile de vouloir tellement se concentrer sur le son de la voix qu'on risque de manquer les paroles, et on peut donner l'impression de ne pas avoir écouté ce qui s'est dit.

Voici les sons principaux à remarquer :

Les reins produisent une voix profonde. Une voix qui a tendance à devenir plaintive peut indiquer une faiblesse des reins.

Le foie donne à la voix de l'autorité. S'il est faible, la voix sera sèche ou exaspérée.

Le cœur gouverne la langue, ce qui se traduit par une facilité d'expression et une bonne articulation. Bégaiement ou mutisme peuvent révéler une faiblesse de cet organe. Si la voix est trop riante, il faut penser à un excès d'énergie dans la région du cœur.

La rate donne une qualité musicale, chantante à la voix. Si cette caractéristique devient prépondérante, il faut peut-être y voir une carence.

Les poumons confèrent de la force à la voix. Une voix faible ou larmoyante peut être signe d'une déficience de l'élément métal.

Sentir

Cette étape du diagnostic est habituellement plus difficile à réaliser que celle de l'écoute car le thérapeute doit sentir l'odeur corporelle de la personne et non simplement la transpiration ou le parfum, même si ceux-ci fournissent malgré tout quelques indices.

Une odeur nauséabonde peut témoigner d'une faiblesse des reins ; une odeur aigre d'une faiblesse du foie ; une odeur de roussi d'une faiblesse du cœur ; une odeur douceâtre d'une faiblesse de la rate et une odeur de moisi d'une faiblesse des poumons.

Observer

On remarque tout de suite que cette personne n'est pas détendue. Si on a appris à les reconnaître, d'autres petits détails sont évocateurs. Lesquels ?

Lorsque nous regardons quelqu'un, nous avons aussitôt une impression générale. Nous savons d'instinct si une personne est en colère ou énervée et nous pouvons alors ajuster notre comportement à son humeur.

En shiatsu, ce réflexe naturel est devenu une technique. En observant divers aspects d'une personne, entre autres la posture, la gestuelle, la morphologie, le teint ainsi que d'autres caractéristiques du visage, nous pouvons en arriver à certaines conclusions.

Le diagnostic facial est un outil important. Une nuance particulière du teint peut indiquer un déséquilibre au niveau de l'un des éléments. Par exemple, nous savons tous qu'un visage rougeaud est un signe d'hypertension artérielle ou de troubles cardiaques et par conséquent d'une perturbation de l'élément feu. Un teint verdâtre fait penser à un problème de foie et donc à l'élément bois.

L'examen de certaines zones du visage fait également partie de cette étape du diagnostic. Par exemple, des rides très profondes entre les sourcils peuvent signaler une stagnation du *ki* du foie. Sur les statues des époques anciennes, on représentait les personnages intellectuels ainsi : la main posée sur le front en signe de profonde réflexion. Puisque l'activité mentale est liée à l'élément bois, on fait automatiquement le rapprochement. Enfin, si l'on observe une personne qui a la gueule de bois, on remarquera que son front est boursouflé, ce qui prouve que le foie éprouve des difficultés à se débarrasser des toxines.

Toucher

La palpation peut servir tout simplement à apprécier la qualité du tonus musculaire, ce qui va donner une idée de l'état de santé général. En shiatsu, il existe des méthodes qui font appel à votre perception du *ki* du receveur. Par exemple, dans les tableaux des méridiens, différents points sont identifiés comme points diagnostiques d'un élément ou d'un organe. Un thérapeute chevronné sera en mesure d'évaluer le niveau d'énergie présente à ces points et d'en tirer des conclusions.

Une autre méthode diagnostique consiste en la lecture du *hara*. Elle peut s'effectuer de deux manières. La première revient à se servir du *hara* comme d'une carte des organes, comme cela se fait en zen shiatsu. Cette technique a l'avantage d'être d'une grande précision et de fournir très rapidement un diagnostic exact. L'inconvénient, c'est qu'il faut être très expérimenté pour l'employer.

La seconde méthode, plus simple quoique moins précise, se base sur le système des cinq éléments. Il s'agit de diviser le *hara* en cinq parties et de percevoir quelles sont les zones les plus faibles et les plus fortes. L'exercice n'est pas aussi difficile qu'il y paraît. Vous palpez simplement chacun des secteurs tel qu'illustré et vous mémorisez ce que vous avez ressenti. Si vous arrivez à mettre en veilleuse, sinon à éteindre complètement, votre cerveau supérieur, vous parviendrez à remarquer que vous percevez chaque zone d'une façon légèrement différente. Vous parviendrez ainsi à déceler quel élément est faible et lequel est fort et obtiendrez par là des renseignements supplémentaires qui vous guideront dans le choix d'un traitement.

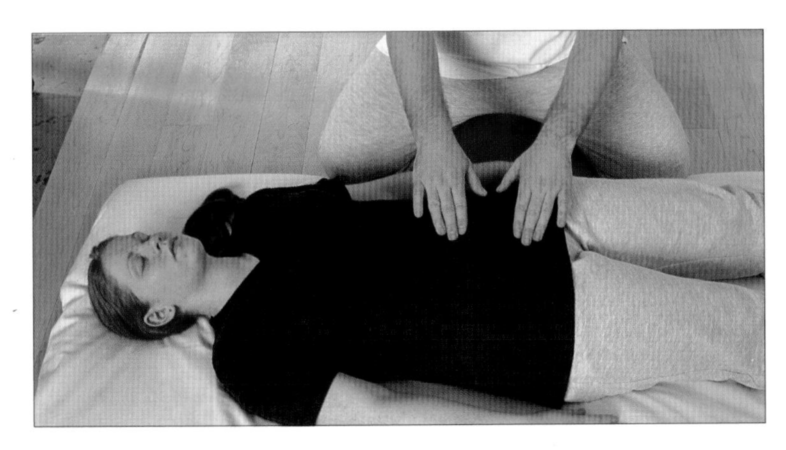

TERRE EAU

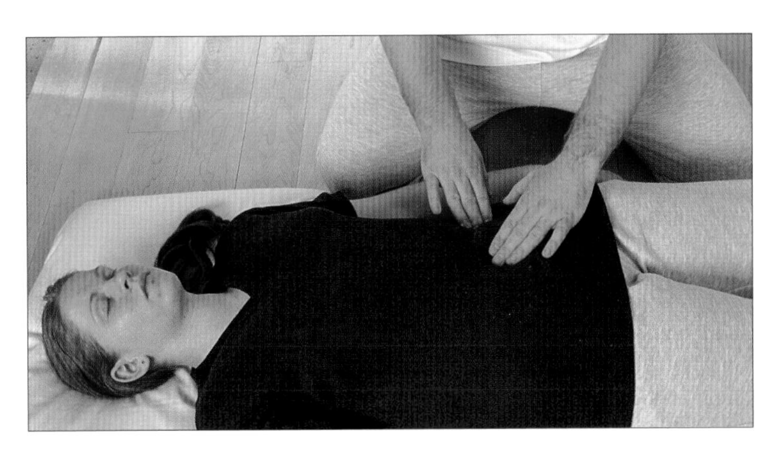

BOIS TERRE

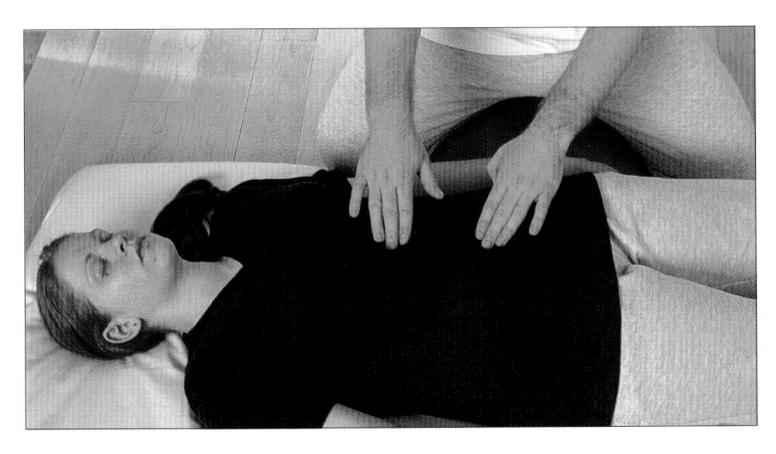

FEU TERRE

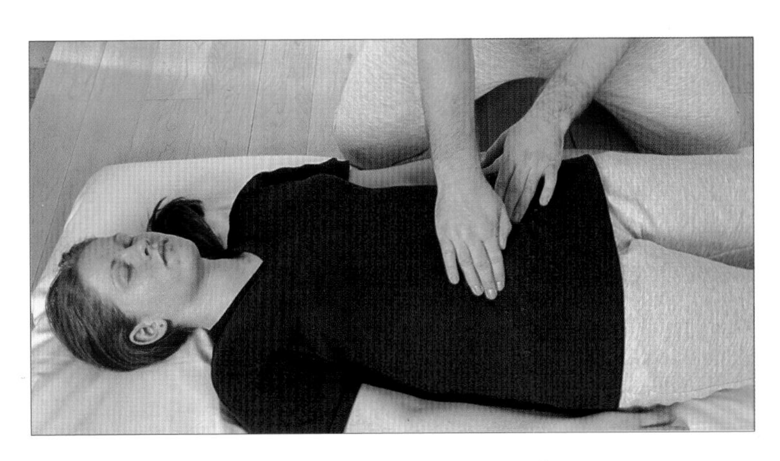

TERRE MÉTAL

La concentration mentale

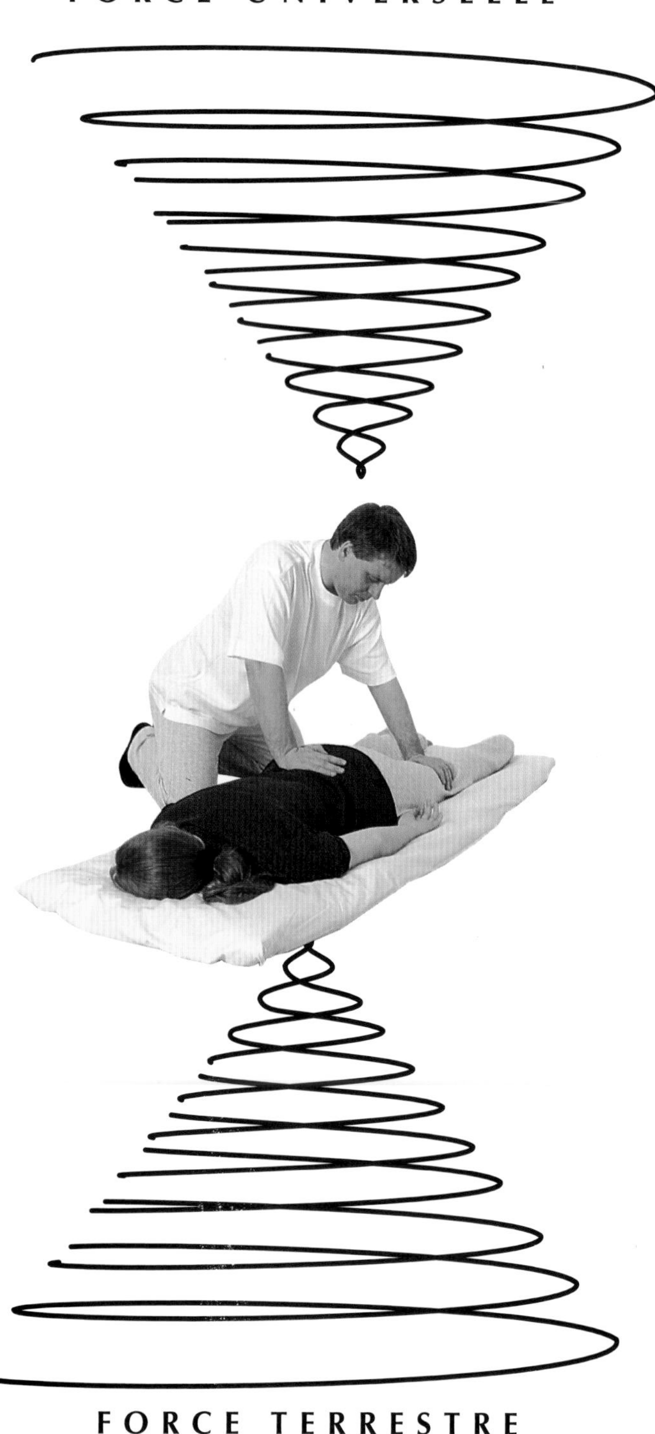

Lorsque vous pratiquez le shiatsu, une des choses que vous tentez de faire est de restaurer ou de maintenir l'équilibre interne du receveur. Ce sera totalement impossible à faire si vous n'êtes pas vous-même « dans l'instant présent ». Par exemple, vous avez décidé qu'il vous fallait travailler sur un méridien donné. Arrivé au quart de son trajet, le doute s'installe dans votre esprit et vous vous mettez à penser : « Je ne me souviens pas où sont localisés tous les points » ou encore « Ce que je fais sert-il à quelque chose ? ».

La porte est alors ouverte à un débordement mental : les idées vont se bousculer dans votre esprit et vous serez incapable de poursuivre le traitement. Si cela se produit, il existe une façon de s'en sortir. Arrêtez tout simplement ce que vous faisiez et respirez plusieurs fois profondément par le *hara*. Cela vous permettra d'apaiser votre esprit et de reprendre le travail que vous avez à faire.

Dans votre pratique du shiatsu, vous devez ressentir un contact, pas seulement avec la personne que vous soignez mais avec l'univers au complet. Pour ce faire, procédez à la visualisation suivante : imaginez-vous qu'il existe une ouverture énergétique au sommet de votre tête par laquelle vous entrez en contact avec le reste de l'univers. Cette technique est très importante car, en laissant ainsi l'énergie universelle pénétrer en vous, vous évitez d'épuiser la vôtre.

De plus, vous devriez être bien « ancré », c'est-à-dire que vous devriez sentir la force terrestre au-dessous de vous. N'oubliez pas de garder votre centre de gravité bas afin d'accroître votre perception. C'est pour cette raison que de nombreux thérapeutes travaillent autant que possible en position de *seiza*, à savoir agenouillés.

Si vous êtes bien ancré au sol, le receveur sentira que vous avez un bon contact avec lui.

La préparation au traitement

Avant d'effectuer un traitement de shiatsu, il vous faudrait apprendre certaines techniques utiles pour vous détendre, mettre votre corps en condition et vous assurer que votre esprit et votre énergie sont en synchronie.

Si vous commenciez un traitement sans aucune préparation, vous ne seriez pas en mesure de travailler efficacement avec l'énergie du receveur. Il est donc impératif, pour votre corps aussi bien que pour votre esprit, de faire des exercices d'échauffement.

Exercices d'échauffement

Pour recevoir un traitement de shiatsu, vous serez habituellement allongé sur un futon posé à même le sol. Imaginez que vous êtes prêt à recevoir le traitement mais que votre thérapeute met cinq minutes à s'agenouiller et qu'il est de toute évidence peu à l'aise pour vous donner les soins requis. La plupart des gens se diraient, avec raison : « Comment peut-il me prodiguer un bon traitement alors qu'il est lui-même aussi crispé ? ».

Un thérapeute de shiatsu doit se maintenir souple et détendu pour être en mesure de se déplacer aisément autour du receveur. Si tel n'est pas le cas, vous risquez de vous faire du mal en tentant d'aider les autres.

Il existe un grand nombre d'exercices d'échauffement et d'assouplissement. En voici quelques-uns qui vous permettront de garder votre corps en forme.

La rotation du cou

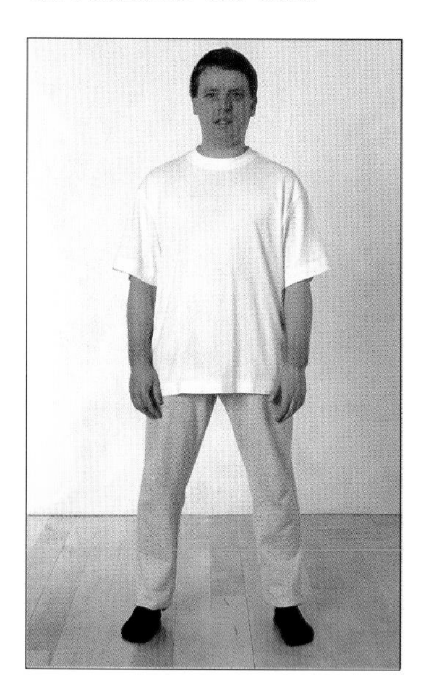

1. Tenez-vous debout, les pieds écartés au niveau des épaules. Redressez la tête sans être crispé. Regardez droit devant vous.

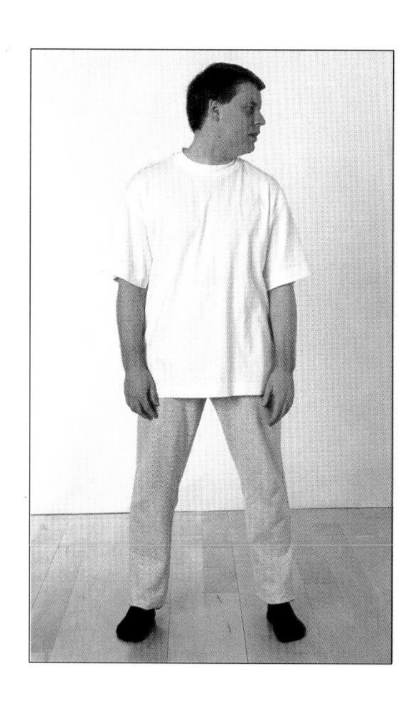

2. Imaginez-vous que vous dessinez un cercle avec vos yeux. Agrandissez le cercle tout en augmentant la rotation.

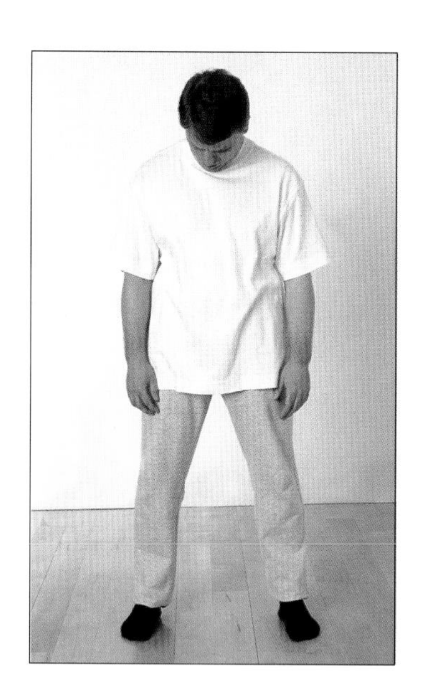

3. Essayez de faire un cercle le plus grand possible sans toutefois vous faire mal.

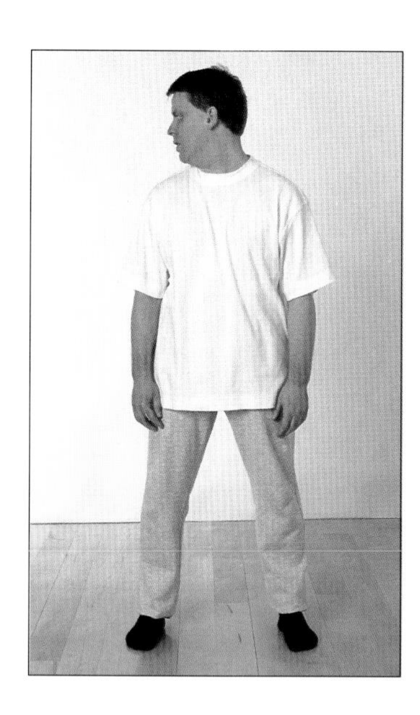

4. Après avoir fait l'exercice dans un sens, revenez au centre et recommencez en sens inverse.

La rotation des épaules

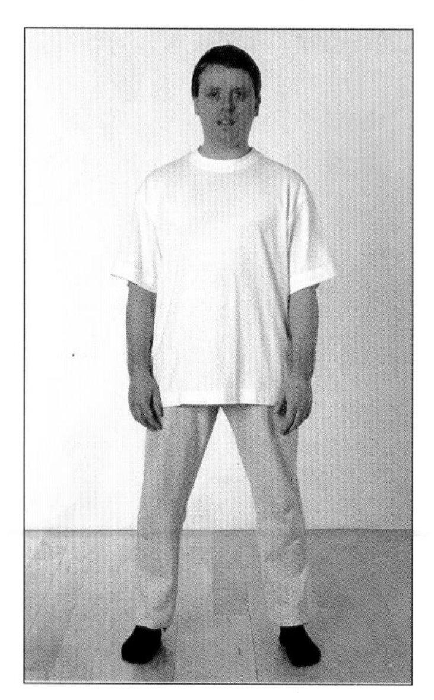

1. Tenez-vous debout, les pieds écartés au niveau des épaules. Redressez la tête sans être crispé. Regardez droit devant vous.

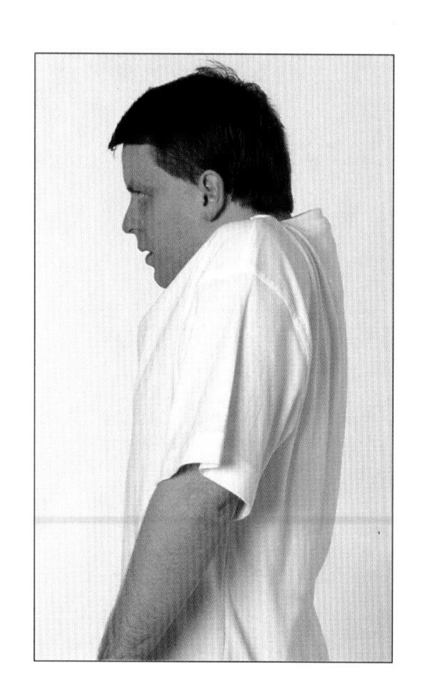

2. À l'inspiration, haussez les épaules.

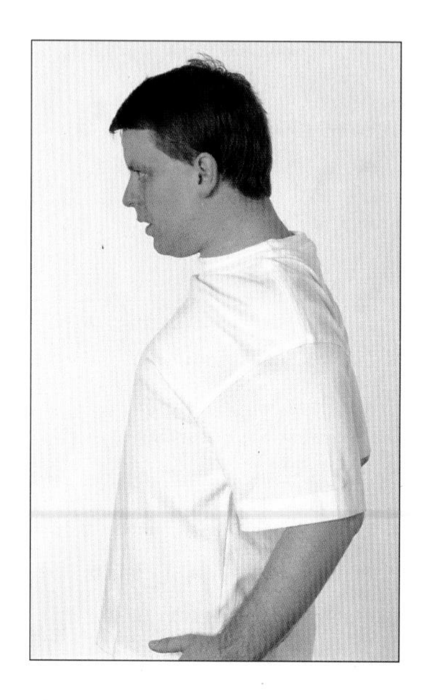

3. À l'expiration, baissez les épaules.

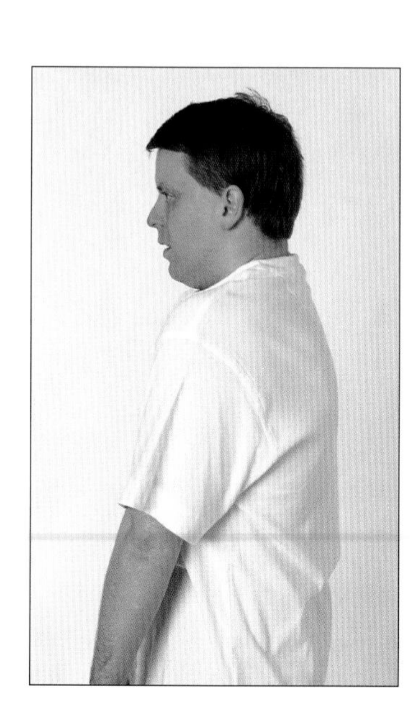

4. Imprimez à vos épaules un mouvement circulaire qui soit synchronisé avec votre respiration.

Les ailes du moulin

1. Commencez par faire tourner un de vos bras.

2. Faites tourner l'autre bras en sens contraire.

3. Vous pouvez faire tourner vos deux bras dans la même direction ou chacun dans un sens différent. Si l'exercice vous semble difficile, n'y pensez plus et il se fera automatiquement.

La rotation de la taille

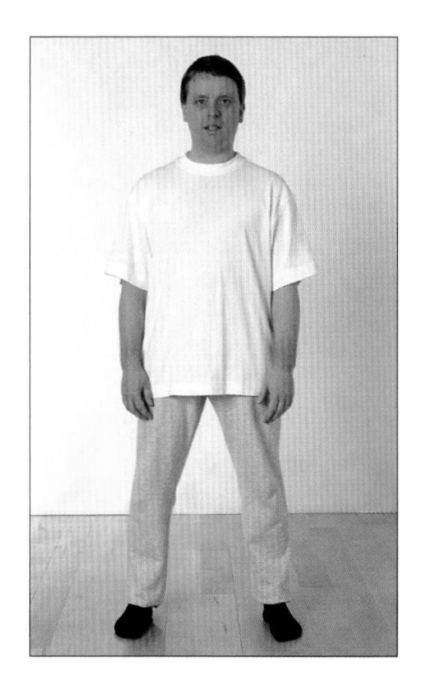

1. Tenez-vous debout, les pieds écartés au niveau des épaules. Redressez la tête sans être crispé. Regardez droit devant vous.

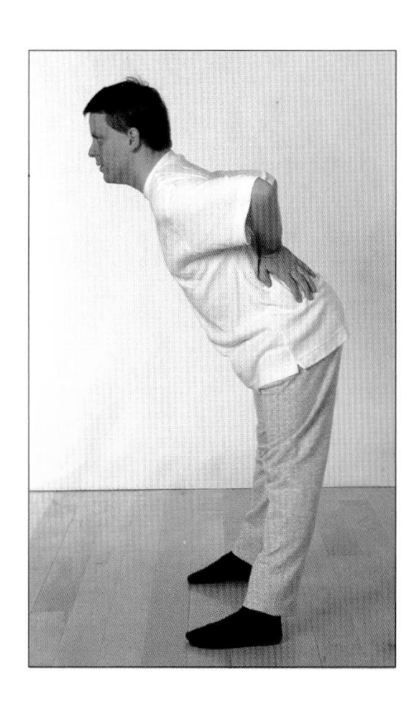

2. Placez la paume de vos mains sur vos reins. Commencez par effectuer de petits cercles avec votre taille.

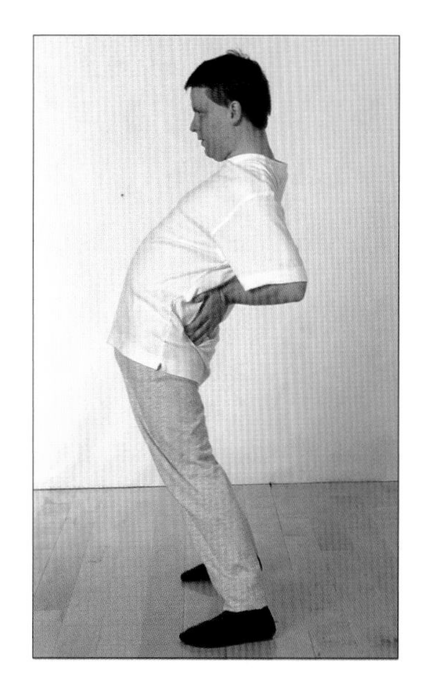

3. Augmentez progressivement l'amplitude des cercles. Vous avez atteint votre maximum lorsque vous éprouvez de la difficulté à garder votre tête en place.

Une fois que vous avez effectué plusieurs rotations d'amplitude maximale, revenez au centre en dessinant des cercles de plus en plus petits. Arrêtez-vous puis recommencez l'exercice en sens inverse.

Le balancement des bras

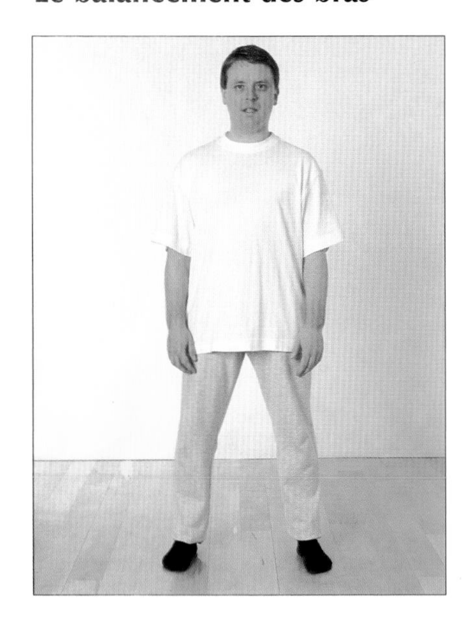

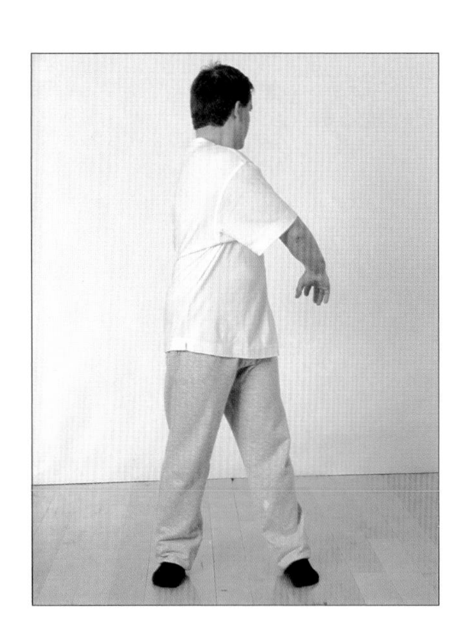

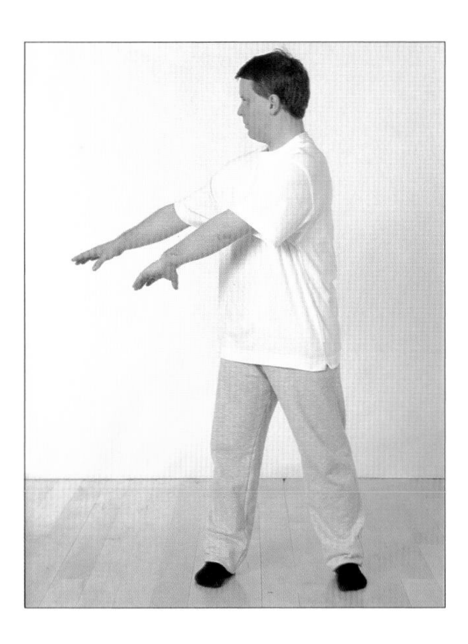

1. Tenez-vous debout, les pieds écartés au niveau des épaules. Redressez la tête sans être crispé. Regardez droit devant vous.

2. Faites pivoter votre corps à gauche puis à droite. Gardez vos bras relâchés pour qu'ils puissent se balancer librement. Ne forcez pas leur mouvement ; c'est votre taille qui doit être à l'origine de leur déplacement.

3. Augmentez progressivement l'amplitude du mouvement. Ne laissez pas vos bras se balancer exagérément et n'arrêtez pas l'exercice brusquement car vous risqueriez de vous blesser.

La rotation des genoux

1. Tenez-vous les pieds collés. Placez vos mains sur vos genoux pour les protéger. Commencez par effectuer de petits cercles puis augmentez progressivement leur amplitude.

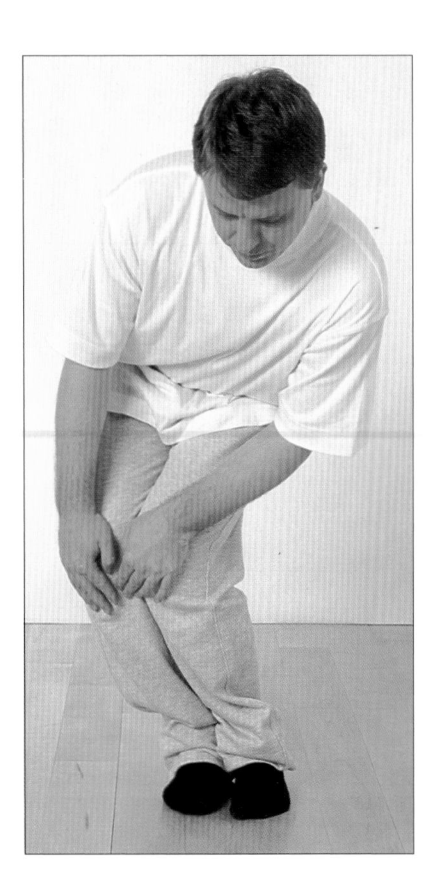

2. Après plusieurs rotations dans un sens, ralentissez, revenez au centre et recommencez en sens inverse.

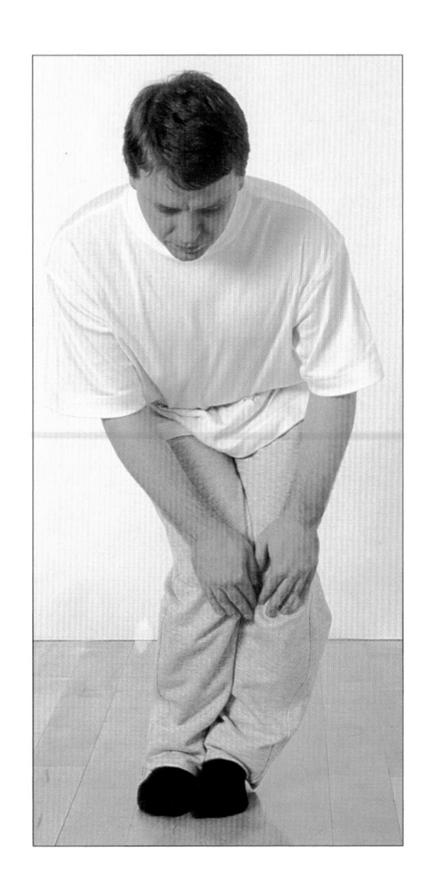

La rotation des chevilles

Posez votre gros orteil sur le sol. Dessinez des cercles avec votre genou de sorte que l'articulation de votre cheville effectue des rotations. Après avoir effectué plusieurs rotations, changez de sens puis répétez l'exercice avec l'autre jambe.

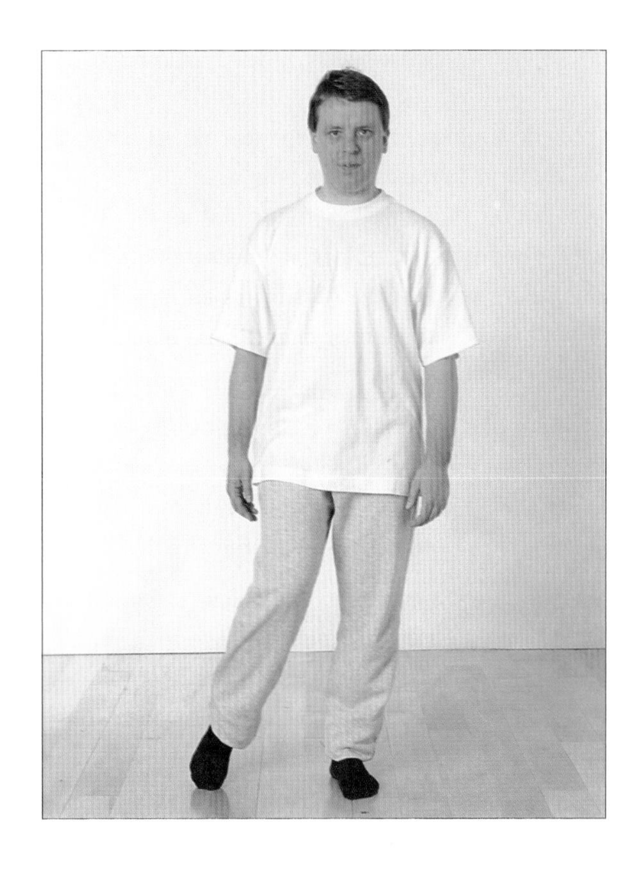

L'étirement du jarret

1.Faites glisser votre jambe gauche vers l'arrière et pliez votre genou droit. Posez les deux mains sur votre genou droit. L'intensité de l'étirement sera fonction de la position de votre jambe gauche. Pour un étirement maximal, gardez les orteils de votre pied gauche pointés le plus possible vers l'avant.

2. Prenez une profonde inspiration. À l'expiration, poussez votre genou droit vers l'avant. Si vous effectuez l'exercice correctement, vous devriez sentir un étirement à l'arrière de votre jambe. Votre talon gauche ne doit pas se soulever. Si vous ne pouvez l'en empêcher, c'est que l'étirement est trop important. Ajustez la position de vos jambes pour obtenir un écartement moindre.

À l'inspiration, relâchez la position pour diminuer l'étirement. Laissez votre genou et votre corps se relever. Après avoir effectué dix étirements avec votre jambe gauche, changez de position et faites-en dix autres avec la jambe droite.

Les étirements Makkaho

Pour acquérir plus de souplesse, il faut effectuer des étirements. Les exercices de rotation sont excellents pour assouplir les articulations mais si l'on veut améliorer sa flexibilité, on doit étirer ses muscles. Durant ces exercices, il vous serait utile d'agir sur des méridiens particuliers. Ainsi, vous aurez l'occasion de travailler sur vous-même et en même temps de vous exercer pour vos futurs clients.

Il se trouve justement que quelqu'un y a déjà pensé. Les exercices Makkaho sont une série d'étirements enseignés aux étudiants en shiatsu. Ils impliquent tous les méridiens principaux et secondaires dont on se sert en zen shiatsu.

Ces étirements ressemblent à ceux du yoga et leur utilisation est similaire. Il faut toujours s'étirer à l'expiration et se relâcher à l'inspiration. Ne faites pas de mouvement brusque ; vous pourriez vous blesser. N'essayez pas de vous étirer trop si vous n'avez pas fait d'échauffement et sachez reconnaître vos limites. La règle la plus importante dans le cas d'étirements est la suivante : **Dès qu'on a mal, on arrête !** La douleur est le signe qu'on est allé trop loin et des étirements trop intenses peuvent faire plus de mal que de bien.

Après un étirement, il faut toujours reprendre la position initiale en suivant les mêmes phases que lorsqu'on l'a quittée. Par exemple, dans le cas de l'étirement estomac/rate, si vous avez réussi à toucher le sol avec votre dos, n'allez pas vous blesser en remontant votre corps d'un coup brusque. En répétant à l'envers les étapes que vous avez suivies pour effectuer l'étirement, vous ne risquerez aucune blessure.

Les exercices comportent également une part de visualisation. À l'expiration, imaginez-vous que vous rejetez un aspect négatif de l'élément que vous étirez et à l'inspiration, vous laissez entrer le caractère positif de l'énergie. Les particularités de chacun des éléments sont énumérées ci-dessous ; elles vous donneront l'occasion de faire participer votre esprit à votre étirement et non juste votre corps.

Élément	Négatif (à l'expiration)	Positif (à l'inspiration)
Métal	Chagrin	Courage
Terre	Inquiétude	Sérénité
Eau	Peur	Douceur
Feu	Arrogance	Amour
Bois	Colère	Bonté

L'étirement métal

Cet exercice étire les méridiens des poumons et du gros intestin. Vue de face, la position ressemble à la lettre A.

1. Tenez-vous debout, les pieds écartés au niveau des épaules. Joignez vos pouces derrière votre dos.

2. À l'expiration, penchez-vous en avant. Gardez la position pendant quelques respirations.

3. Quittez la position lors d'une expiration en ramenant vos mains vers l'avant et en laissant votre corps suivre le mouvement.

L'étirement terre

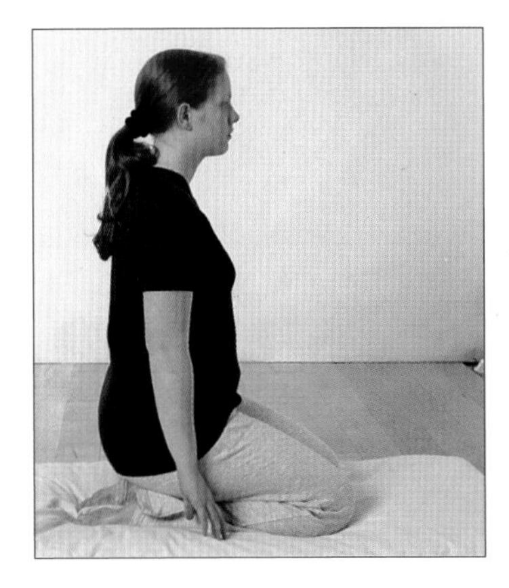

Cet exercice étire les méridiens estomac et rate. Vue de côté, la position ressemble à la lettre B.

1. Agenouillez-vous par terre.

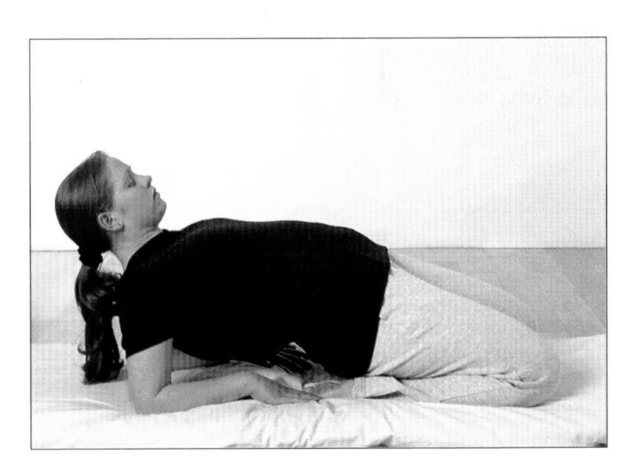

2. Expirez et penchez-vous en arrière sur vos mains. (Allez aussi loin que vous le permet votre corps ; si l'étirement vous semble suffisant, gardez la position pendant deux ou trois respirations puis relevez-vous.)

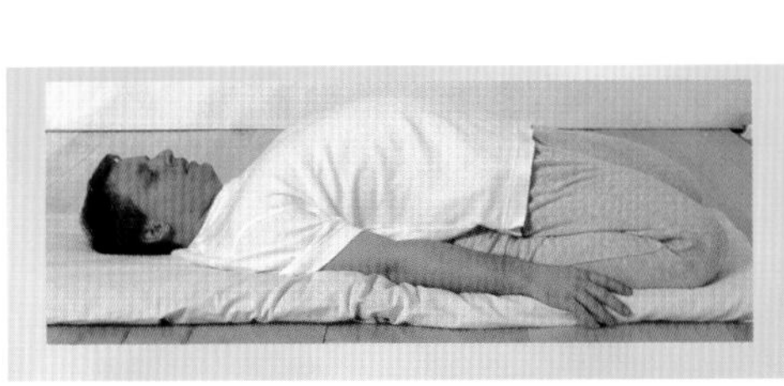

Si vous vous en sentez capable, expirez et touchez le sol avec votre dos.

Lorsque vous vous relevez, n'oubliez pas l'étape au cours de laquelle vous avez posé vos coudes sur le sol, sinon vous risquez de vous froisser un muscle du dos.

L'étirement feu

Cet étirement agit sur les méridiens du cœur et de l'intestin grêle. Vue de côté, la position ressemble à la lettre C.

1. Asseyez-vous, plantes des pieds collées l'une contre l'autre et rapprochez-les le plus possible de l'aine. Saisissez vos pieds avec vos deux mains et gardez les coudes à l'extérieur des tibias.

2. À l'expiration, penchez-vous en avant et détendez votre cou.

L'étirement eau

Cet étirement agit sur les méridiens de la vessie et des reins. Vue de côté, la position ressemble à la lettre D.

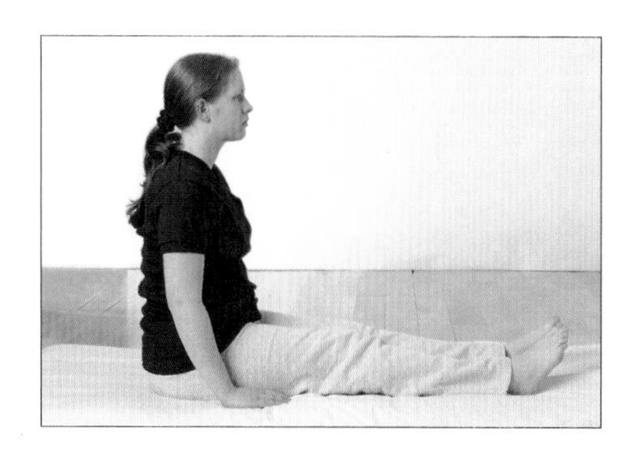

1. Asseyez-vous, les jambes tendues et le dos droit.

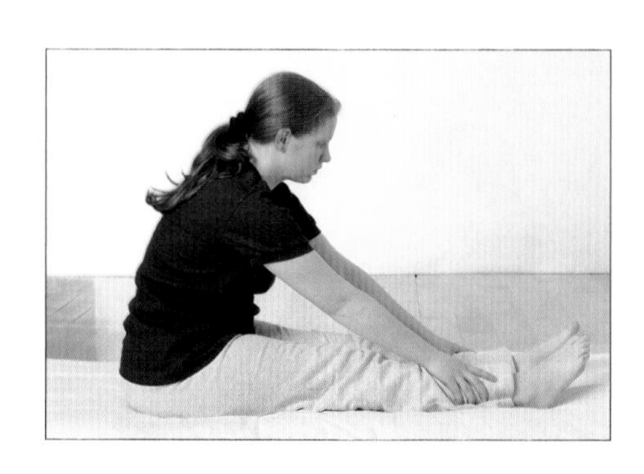

2. À l'expiration, penchez-vous en avant et saisissez vos chevilles.

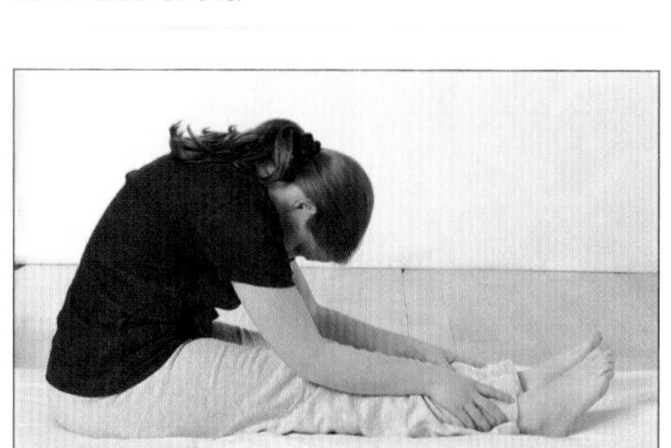

3. Augmentez l'étirement en pliant les coudes et en relâchant votre cou.

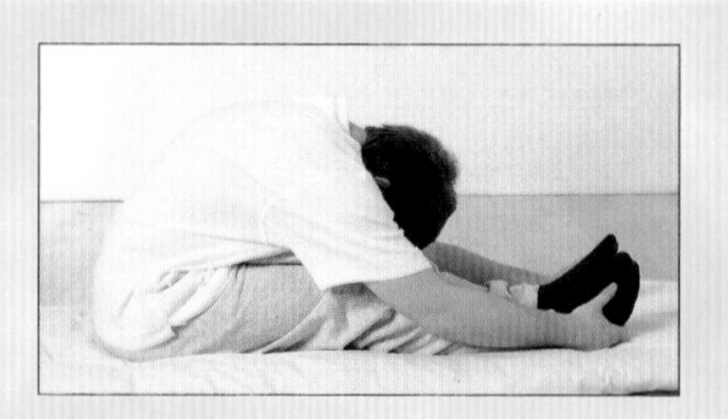

Si vous en êtes capable, répétez l'étirement, cette fois-ci en vous penchant en avant et en saisissant le point rein 1 situé sur la plante du pied.

L'étirement feu secondaire

Cet étirement agit sur les méridiens du péricarde et du triple réchauffeur. Vue de côté, la position ressemble à la lettre E.

1. Asseyez-vous en tailleur.

2. Croisez les bras pour aller toucher vos genoux. Si votre tibia gauche est placé devant, votre avant-bras gauche devrait être placé devant le droit.

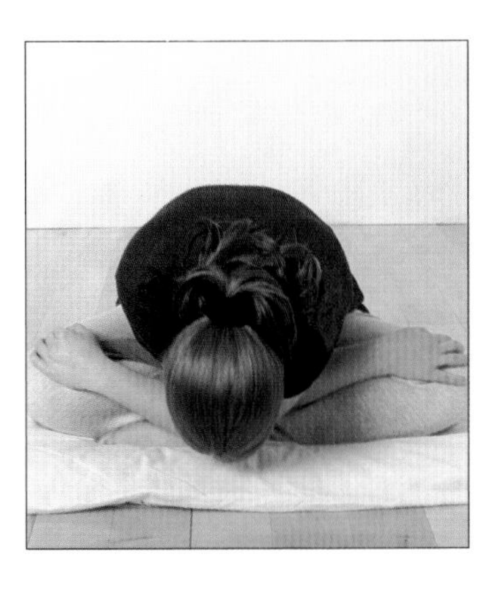

3. Expirez et penchez-vous en avant. Appuyez sur vos genoux pour écarter l'aine.

Répétez l'exercice en croisant vos jambes de la manière inverse.

L'étirement bois

Cet étirement agit sur les méridiens de la vésicule biliaire et du foie. Vue de face, la position ressemble à la lettre F.

1. Asseyez-vous, les jambes bien écartées. (N'espacez pas vos jambes au point de ne pas être capable d'effectuer l'étirement avec le haut de votre corps.) Gardez le dos droit.

2. Expirez et penchez-vous d'un côté. Si vous en êtes capable, saisissez le point foie 1 situé sur votre gros orteil, à l'aide de la main qui passe par-dessus votre tête. De l'autre main, saisissez le point vésicule biliaire 44. Si vous n'en êtes pas encore capable, saisissez simplement votre cheville. Ne comprimez pas votre *hara.*

L'exercice d'ancrage

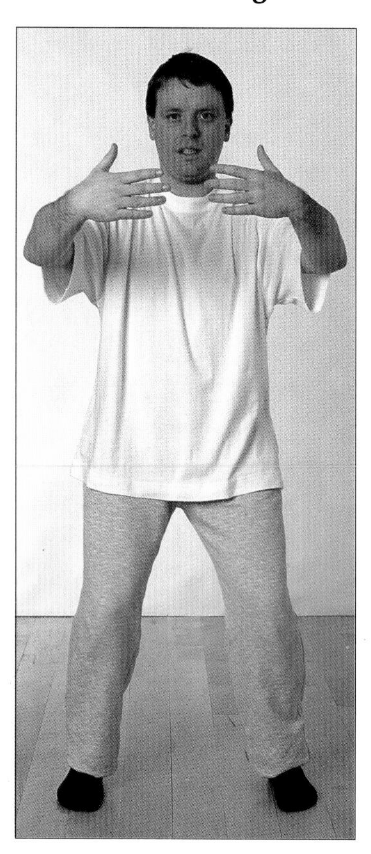

Comme nous l'avons déjà mentionné, pour être efficace, le shiatsu doit être « ancré ». L'exercice qui suit vous aidera à vous ancrer dans le sol. Il se nomme « Se tenir debout comme un arbre » parce que vous devez vous imaginer que vos pieds se prolongent en racines dans la terre et que vous poussez vers le ciel comme un arbre.

Pratiquez cet exercice un peu chaque jour et augmentez progressivement la période jusqu'à quinze ou vingt minutes. Vous remarquerez très vite une différence.

Tenez-vous debout, les pieds parallèles écartés au niveau des épaules. Gardez le dos droit, les yeux bien ouverts sans être fixes et votre respiration détendue.

Pliez légèrement les genoux comme si vous vous accotiez sur le bord d'une table. Gardez la tête et le dos droits.

Amenez vos bras devant votre poitrine tel qu'illustré. Ne levez pas les épaules et essayez de rester décontracté.

Maintenez la position aussi longtemps que vous vous sentez à l'aise. Gardez votre respiration régulière et détendue.

La méditation du *hara*

L'exercice qui suit n'est pas compliqué et il peut se pratiquer à peu près n'importe où et n'importe quand dès que vous avez quelques minutes de libres. Commencez par apprendre la respiration par le *hara* (abdominale) jusqu'à ce que vous arriviez à la faire naturellement. Une fois que vous aurez réussi à respirer ainsi, essayez l'exercice de méditation et efforcez-vous de ressentir le mouvement de l'énergie.

La respiration par le *hara*

Pour apprendre la respiration abdominale, il est préférable de trouver un endroit pourvu d'une vibration, ou d'une énergie, naturelle, c'est-à-dire où l'énergie circule bien et où le *ki* ne stagne pas. Vous allez forcément détendre votre corps et votre esprit ; veillez donc à ne pas être dérangé par le froid.

Asseyez-vous dans la position de *seiza*. Fermez les yeux et détendez votre esprit. Respirez par le *hara* en le gonflant à l'inspiration et en le rentrant à l'expiration. Le mouvement doit être doux et vous ne devez pas le forcer. Observez le rythme du *hara*. Laissez votre corps et votre esprit se relaxer totalement.

Posez vos mains sur votre point *Tan tien*, juste au-dessous du nombril. Remarquez le mouvement de vos mains sur le *hara* au fur et à mesure que vous expirez et que vous inspirez.

Lorsque vous avez terminé, massez votre *hara* en un mouvement circulaire.

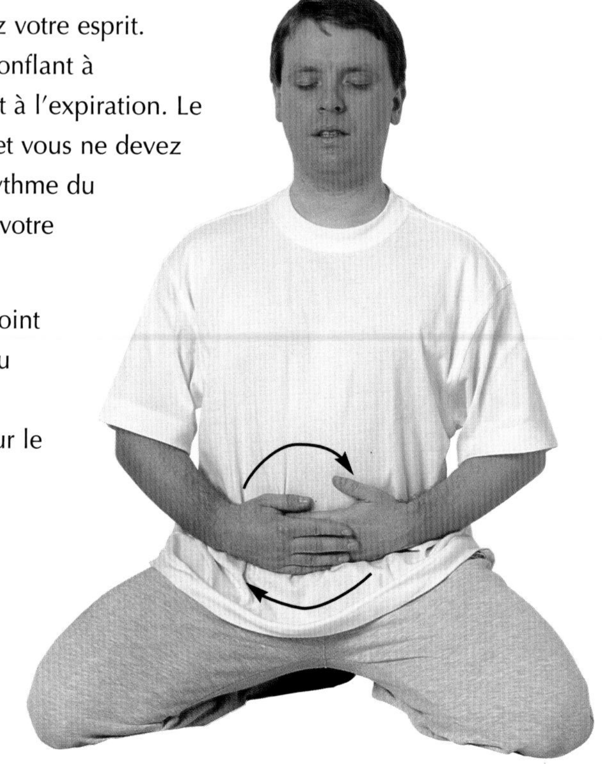

Percevoir l'énergie

Nombreux sont ceux qui pensent que le shiatsu a certainement ses côtés bénéfiques mais pour qui il est difficile d'accepter la notion d'énergie, tout simplement parce qu'ils ne peuvent pas la voir. Mis à part pour quelques personnes clairvoyantes qui sont réellement capables de distinguer les auras et les photographies Kirlian, notre énergie est invisible. Le fait de ne pas la voir ne veut cependant pas dire qu'on ne peut pas la sentir. Nier l'existence de l'énergie une fois qu'on l'a perçue reviendrait à nier l'existence de l'électricité après avoir reçu un choc électrique !

L'exercice qui suit est simple ; il montre comment percevoir l'énergie. Il ne faudrait toutefois pas se méprendre sur sa simplicité. Lorsque vous essaierez de sentir un méridien et l'énergie qui le traverse, c'est le genre de sensation qui est décrite ci-dessous que vous devrez rechercher.

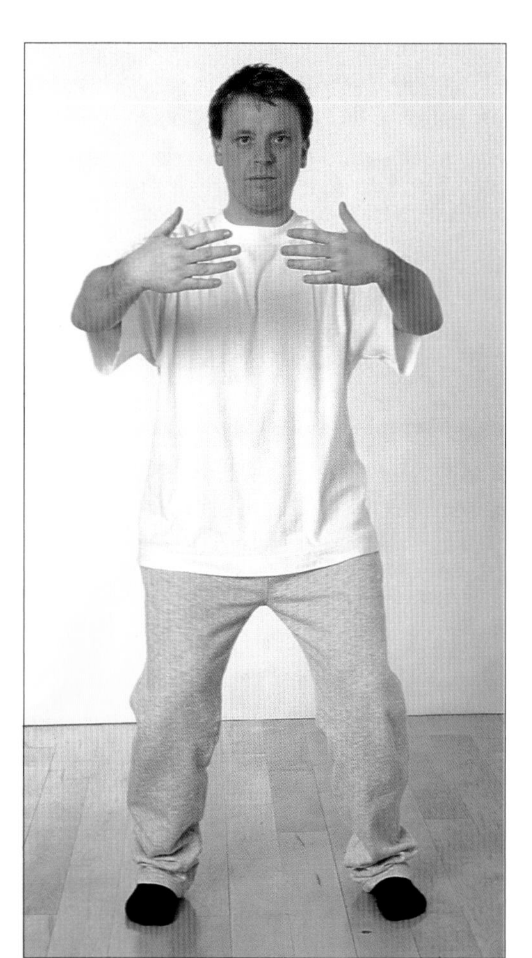

1. Prenez la position « Se tenir debout comme un arbre » ou celle de la respiration par le *hara.* Ces positions vous aideront à être attentif à l'énergie. Si vous êtes une personne particulièrement sensible, vous n'aurez peut-être pas besoin de le faire.

2. Placez vos mains, les paumes l'une en face de l'autre. Gardez les épaules basses et les bras souples. Rapprochez peu à peu vos mains l'une de l'autre. À un moment donné, vous devriez percevoir une force, ou une chaleur, invisible, dans l'espace situé entre vos mains. Amusez-vous avec cette sensation et essayez de rendre le « ballon » d'énergie présent entre vos mains de plus en plus grand.

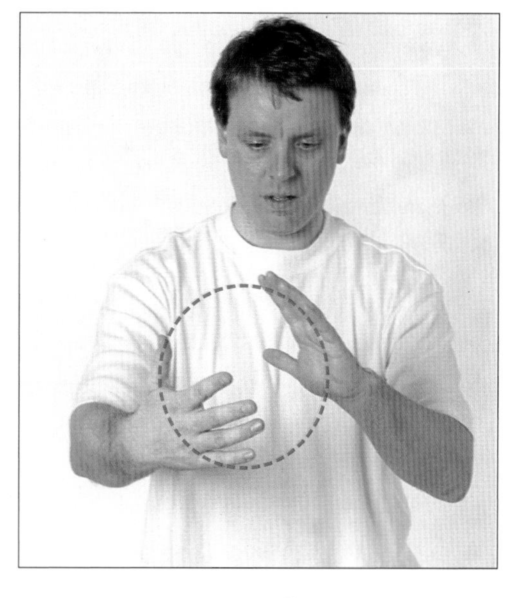

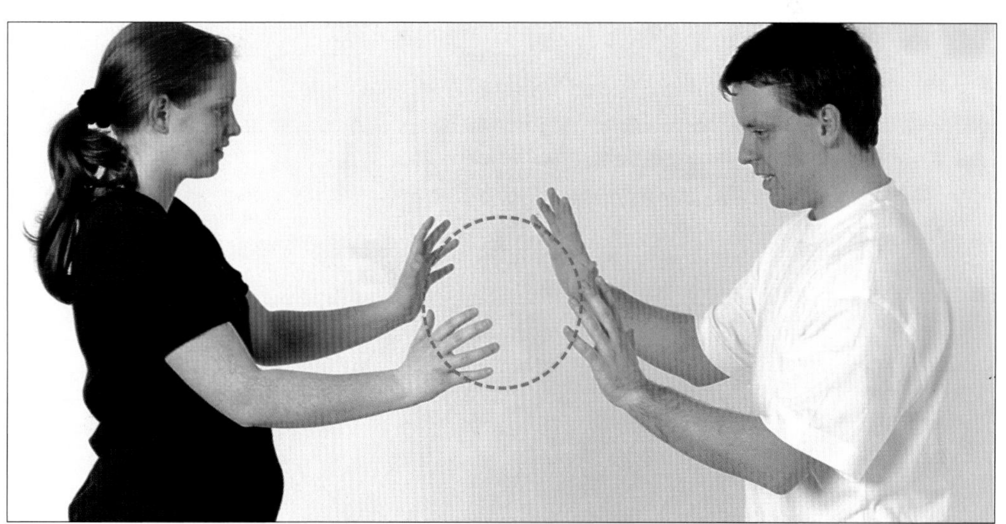

3. Si vous avez un ami à côté de vous qui a fait la même chose, placez-vous l'un en face de l'autre et formez un ballon d'énergie entre vous deux. Essayez d'en percevoir la forme et remarquez bien le changement qui s'opère si votre ami s'éloigne de vous.

Les techniques de base

Avant même de vous demander quel usage vous allez faire de vos connaissances du shiatsu, il serait bon de savoir à quel endroit vous allez les mettre en pratique. Idéalement, vous aurez besoin d'une pièce claire, aérée et suffisamment chauffée. En effet, lorsqu'une personne se détend, elle a facilement froid. Pour cette raison également, il est conseillé d'avoir à portée de la main quelques couvertures.

L'air pur est toujours meilleur : il crée une atmosphère agréable et empêche le *ki* de stagner. Il est donc préférable de ne jamais fumer dans le lieu réservé à la pratique du shiatsu. Arrangez autant que possible la pièce de manière à ce que, lorsque vous travaillez autour du receveur, vous ne vous heurtiez pas constamment aux meubles.

Pour le confort du receveur, la meilleure surface de travail est un futon. Il serait bon d'en trouver un de grande taille car vous allez vous y agenouiller pendant un certain temps et vous aurez ainsi les genoux protégés. Vous aurez en outre besoin de coussins ou d'oreillers pour soutenir certaines parties du corps du receveur, la tête par exemple lorsqu'il sera couché sur le côté.

Ce serait une bonne idée aussi de prévoir des linges de coton sur lesquels la personne posera la tête. Ce petit détail, au départ de nature hygiénique, pourrait éviter à votre client quelque embarras. En effet, lorsque nous sommes allongés à plat ventre et que le thérapeute intervient sur le méridien de la vessie, nous devenons tellement décontractés qu'il nous arrive de baver.

Le receveur devrait porter des vêtements amples et se déchausser. En tant que thérapeute, vous avez besoin de la même tenue élémentaire. On porte habituellement du blanc car cette couleur réfléchit toutes les énergies de la même manière qu'elle réfléchit la lumière.

Nous allons maintenant passer en revue les techniques de base utilisées en shiatsu. Les spécialistes du shiatsu ont recours à de nombreuses techniques mais les trois décrites ici vous suffiront pour effectuer un traitement.

Il vous faut toujours songer à votre confort ainsi qu'à celui de votre client.

Les étirements

Les étirements apportent de nombreux bienfaits : ils améliorent les circulations sanguine et lymphatique, ils augmentent la mobilité et ils attirent les méridiens vers la surface du corps. Pour éviter d'infliger des blessures à votre client, vous devez être à l'écoute de ses besoins. Si possible, il serait bon d'observer son visage : vous remarquerez ainsi rapidement s'il a mal, ce qu'il ne vous dira pas toujours.

Il est utile de comprendre l'aspect scientifique des étirements. La première des choses à se rappeler, c'est que la fibre musculaire est incapable de s'allonger. À son état naturel, un muscle est contracté. Pour augmenter sa mobilité, il faut par conséquent diminuer son état de contraction. Dans des conditions normales, les ligaments ne s'étirent pas du tout. Si on étire un ligament, on provoque une blessure grave.

Lorsqu'on étire un muscle, il faut agir lentement. De cette manière, on peut contrôler le réflexe d'étirement et garder sa sensibilité. Veillez à ce que le receveur ait une respiration détendue. Certaines personnes ont tendance à retenir leur souffle, ce qui peut leur nuire.

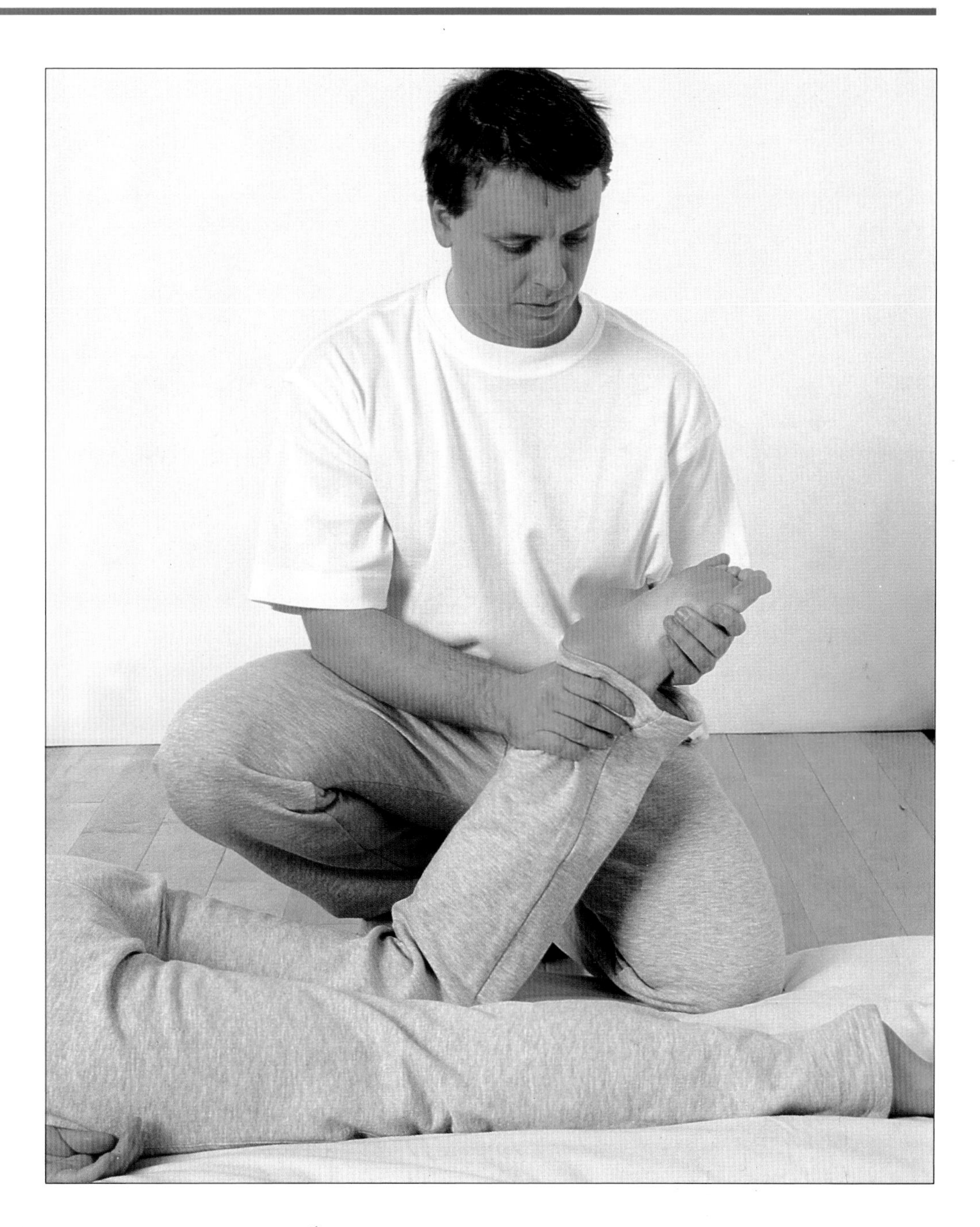

1. Le receveur est couché à plat ventre sur le matelas. Saisissez son pied et sa cheville.

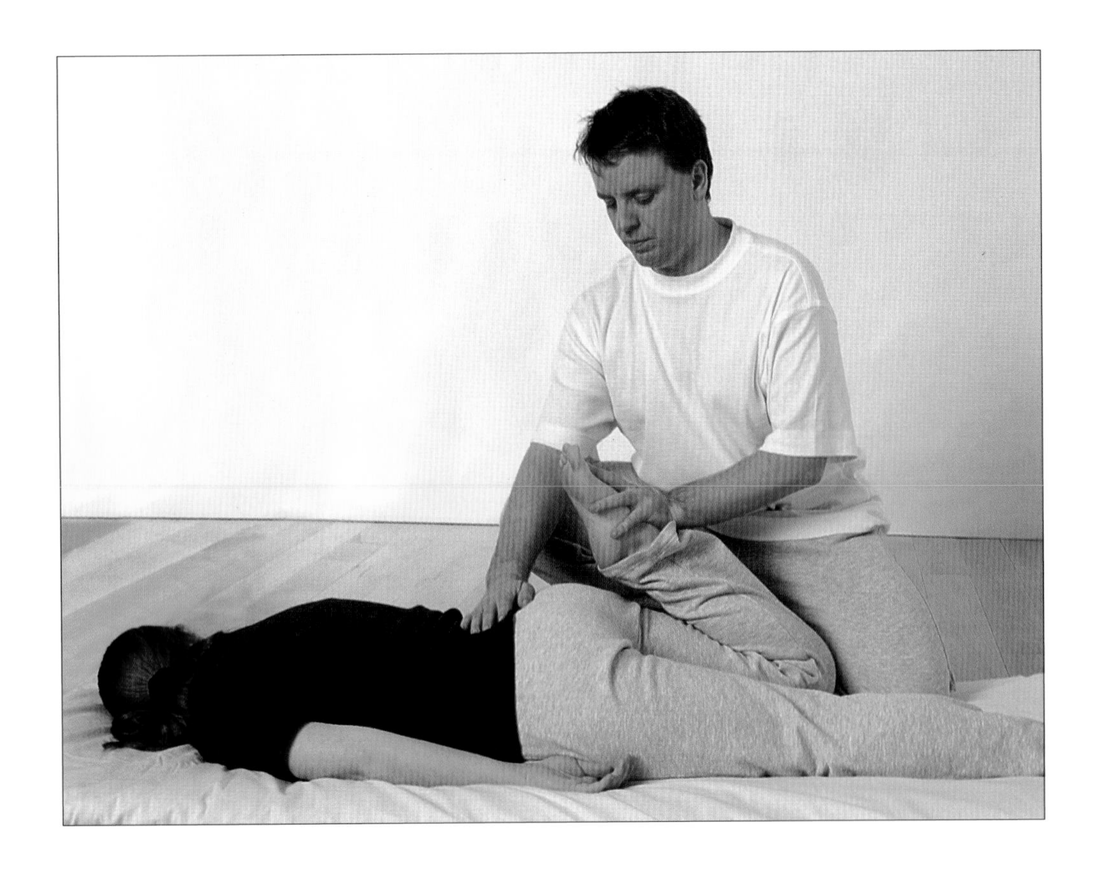

2. Écoutez la respiration du receveur. À l'expiration, amenez son pied vers ses fesses pour étirer sa jambe.

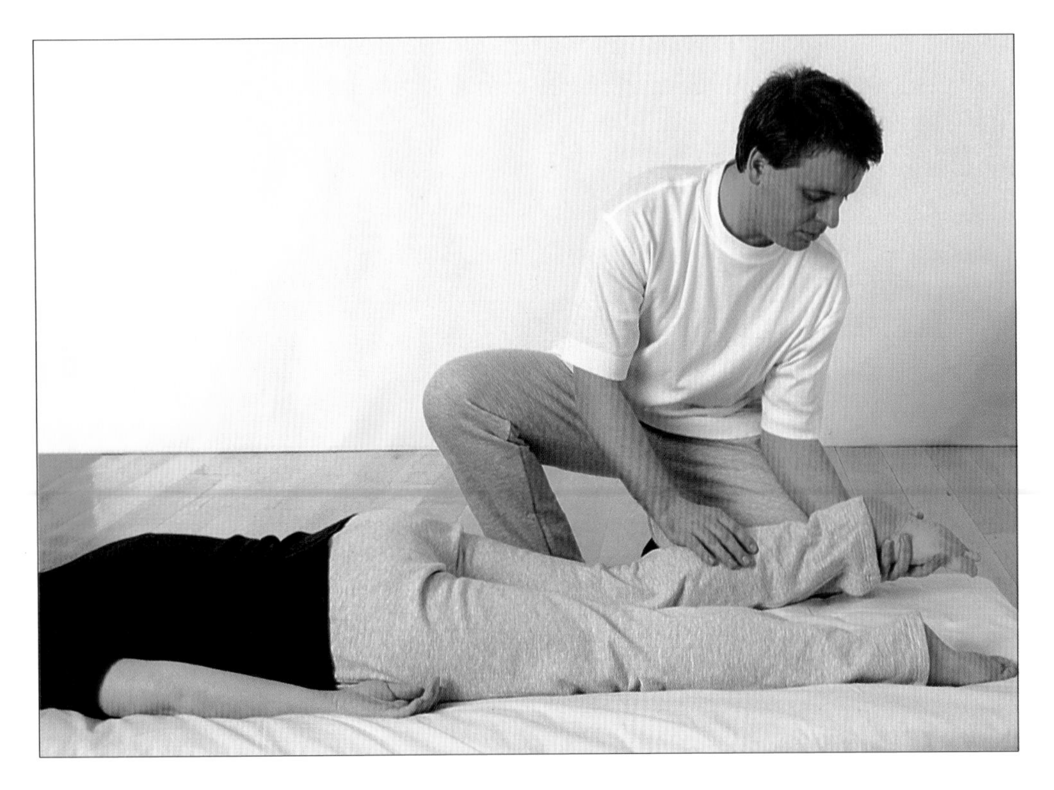

3. Une fois l'étirement terminé, reposez la jambe délicatement sur le matelas ; ne la laissez pas simplement tomber.

Le toucher ou contact passif

Le toucher constitue une autre technique simple et efficace. Un des principes de base du shiatsu est d'apporter un soutien, une forme de réconfort à une personne et le simple fait de la toucher répond à ce besoin.

Le receveur doit être allongé sur le dos. Assurez-vous qu'il n'a pas de lumière dans les yeux sinon il lui sera impossible de se détendre.

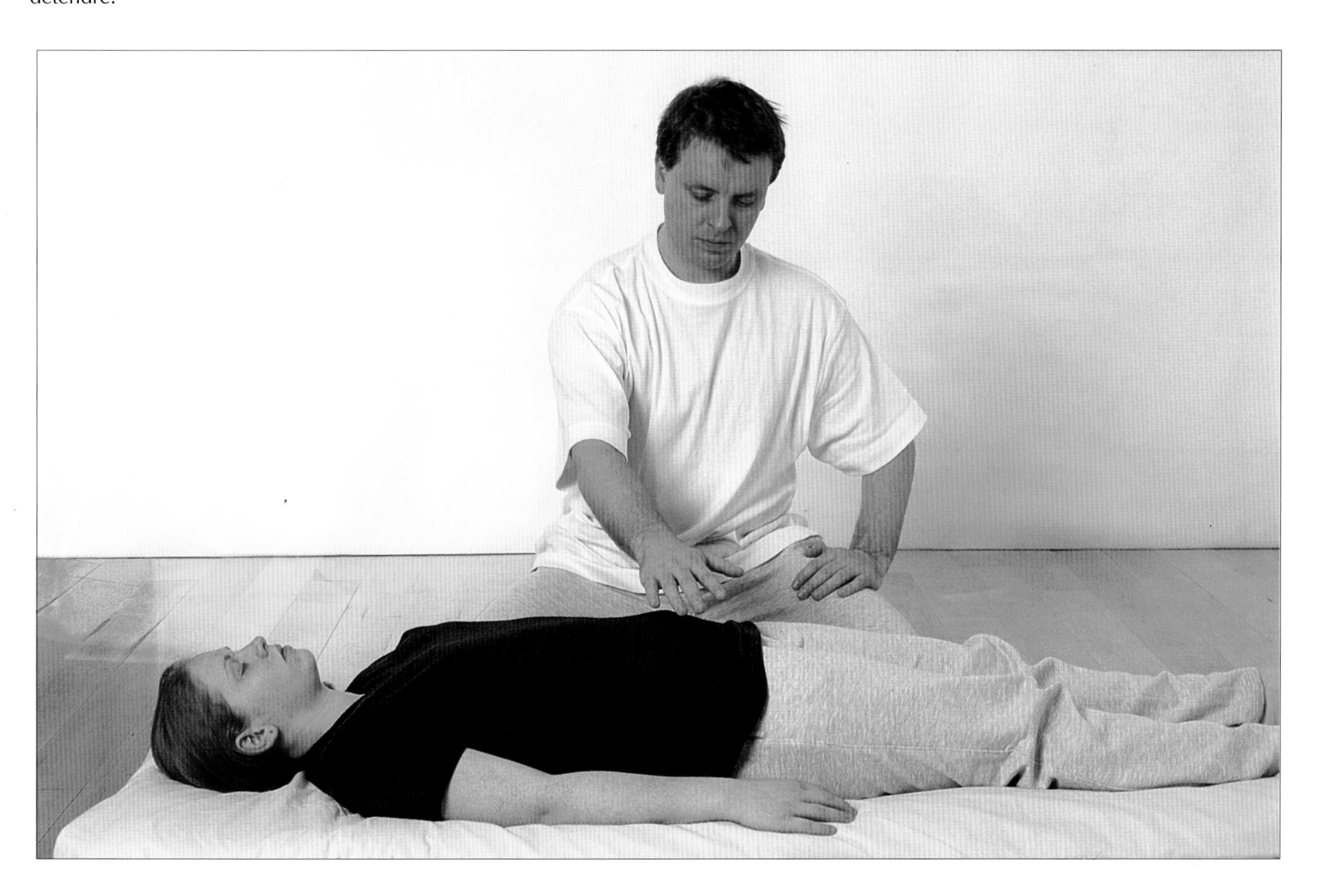

1. Remémorez-vous l'exercice que nous avons fait pour percevoir l'énergie. En vous servant de la même sensibilité, placez votre main au-dessus du *hara* du receveur et essayez de capter son énergie.

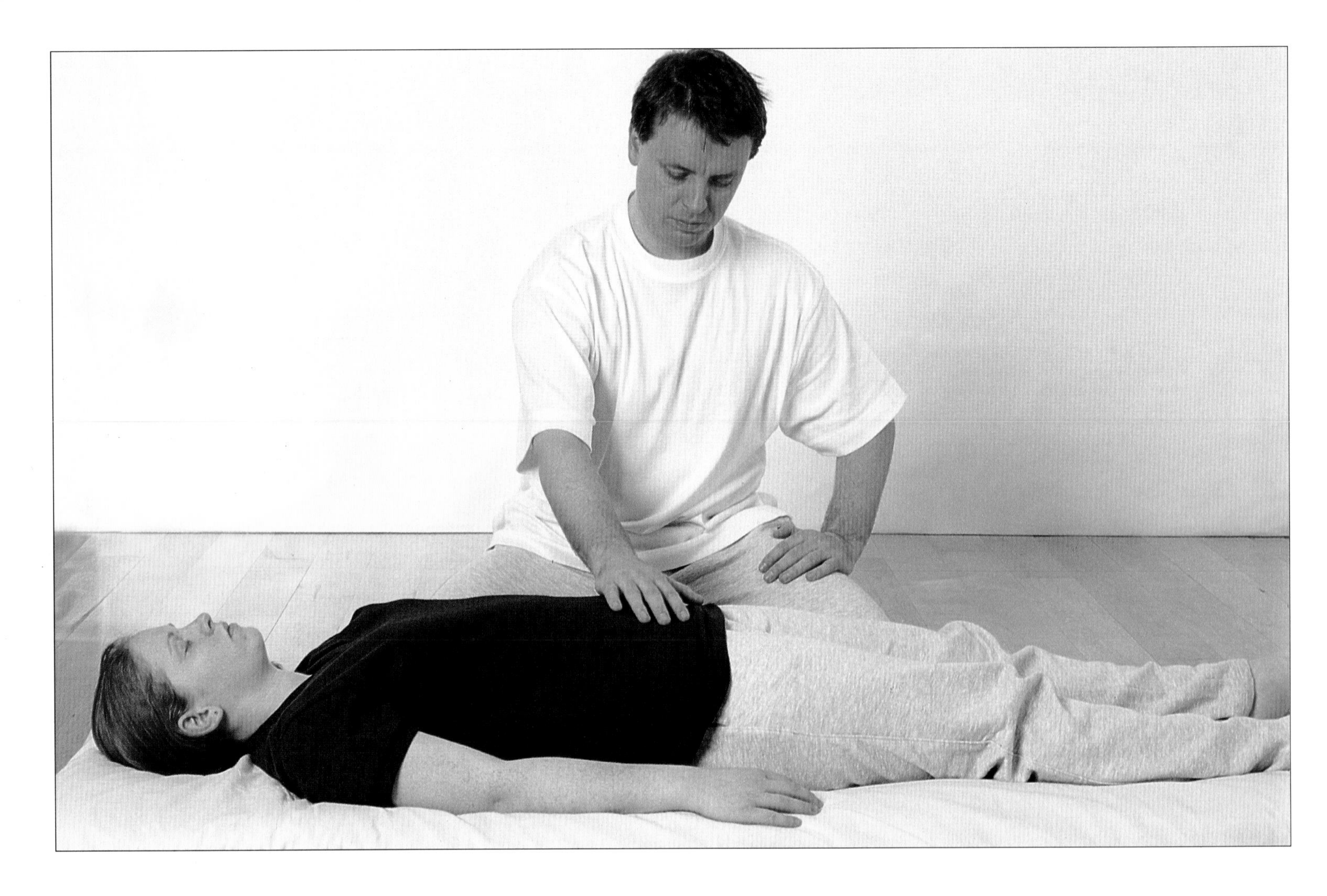

2. Baissez votre main lentement et en douceur. Restez attentif aux mouvements de l'énergie et suivez-les. Lorsque votre main a localisé le *hara* physique du receveur, posez-la délicatement sur son abdomen. La pression doit être légère pour que vous puissiez continuer à percevoir l'énergie.

Au fur et à mesure que le receveur inspire et expire, votre main devrait monter et descendre comme flotterait un morceau de liège sur la mer. Synchronisez-vous avec la respiration du receveur et suivez les mouvements de son *hara* ; n'essayez pas de le contrôler.

Lorsque vous pensez avoir fait de votre mieux (en général au bout de cinq minutes ou plus), retirez votre main. Faites-le au moment où le *hara* se gonfle et ne laissez pas votre main redescendre. Si vous le faites avec suffisamment de douceur, le receveur aura l'impression que votre main est encore posée sur lui durant quelques minutes après que vous l'ayez ôtée.

La pression du pouce

Pour imprimer une pression, le shiatsu fait appel aux pouces, aux mains, aux coudes, aux genoux et aux pieds. Le plus souvent utilisé reste cependant le pouce et c'est de lui dont nous allons parler ici.

D'une manière générale, il faut se rappeler les points suivants :

- Restez en contact avec l'énergie ; ne vous contentez pas de planter votre pouce n'importe comment dans le receveur.
- Lorsque vous travaillez sur un *tsubo*, vous devez être placé perpendiculairement à lui pour obtenir les meilleurs résultats.
- Si vous travaillez en douceur, il est plus facile pour vous de percevoir l'énergie.
- Prenez soin de vos pouces. J'ai connu des thérapeutes qui souffraient de problèmes articulaires à ces doigts car ils avaient l'habitude d'imprimer une pression trop forte.

Position correcte : le pouce doit toujours être perpendiculaire à la surface du corps.

Position incorrecte : le pouce ne doit pas être penché.

Bien maîtriser une technique

Dans certains styles traditionnels de karaté, on commence par vous enseigner une seule technique, disons le coup de poing. Avant de pouvoir apprendre d'autres techniques, vous devez maîtriser parfaitement le coup de poing. Lorsque votre maître vous enseignera d'autres techniques, peut-être le blocage, vous aurez perfectionné la première et aurez appris beaucoup de choses sur le fonctionnement du corps humain.

Par exemple, dans ce qui semblait au départ un simple mouvement de la main, votre corps tout entier va participer et vous allez être attentif à votre *hara*. Cela veut dire que vous apprendrez les autres techniques très rapidement et que l'apprentissage aura porté fruit.

Il est préférable de bien effectuer une seule technique plutôt que d'en saboter plusieurs.

Pour le shiatsu, c'est la même chose. Il est de loin préférable d'apprendre comment bien exécuter une technique plutôt que d'en connaître plusieurs à moitié. Prenons l'étirement comme exemple. Si vous apprenez la dynamique des muscles, l'emplacement des méridiens et la façon de vous déplacer autour du receveur pour effectuer l'étirement et le faire bien, vous en saurez dès lors beaucoup.

Lorsque vous voudrez approfondir vos connaissances en étudiant les *tsubos* et leur action, vous aurez déjà de bons éléments de base avec lesquels travailler.

Cette approche suppose d'investir temps et effort au départ et d'en retirer les bénéfices par la suite. De toute manière, la vie est un apprentissage permanent et vous pouvez vous servir de cette idée pour vous motiver.

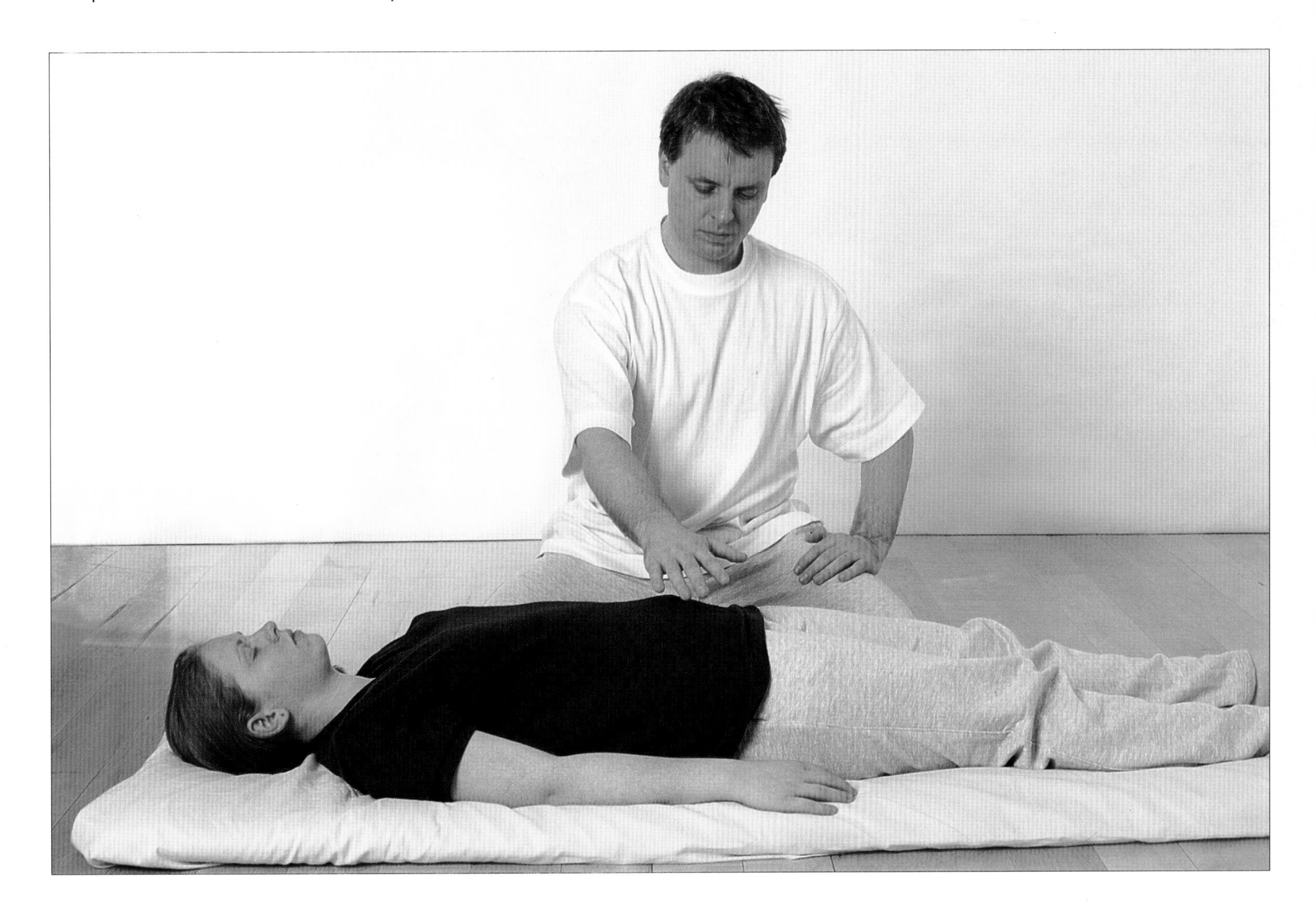

La pratique du shiatsu

Apprendre le shiatsu, c'est un peu comme apprendre à jouer du jazz. Le musicien de jazz a pour objectif d'être capable d'improviser, c'est-à-dire de ne pas avoir à suivre un air particulier mais de pouvoir s'accorder au reste du groupe et aux spectateurs et de donner ainsi sa meilleure performance. Il n'essaiera pas d'analyser sa musique mais se contentera de suivre le rythme.

Du bon shiatsu ressemble à cela. Le rythme que nous suivons dans ce cas-ci s'appelle parfois le *Tao*. À l'instar du musicien, le praticien ne sait pas d'instinct comment improviser. Il doit connaître certains enchaînements, tout comme le jazzman doit apprendre certains airs. Une fois que vous connaîtrez la musique, vous pourrez improviser à votre guise mais il vous faut d'abord l'apprendre !

Il existe de nombreux enchaînements possibles. Nous en avons choisi quatre qui se pratiquent dans les positions de base, c'est-à-dire allongé sur le ventre, sur le dos, sur le côté et assis. Lorsque vous aurez bien mémorisé les enchaînements, vous serez libre d'y ajouter ou d'y soustraire certaine manœuvres. Si vous parvenez à travailler dans les quatre positions, vous serez en mesure d'effectuer un traitement.

En dernier lieu, n'ayez trop crainte de faire quelque chose de mal. Si vous faites une erreur, poursuivez votre enchaînement comme si de rien n'était. Tant que vous restez à l'écoute et que vous agissez en douceur, vous ne risquez de blesser personne. Si vous vous arrêtez puis reprenez votre travail, le courant sera rompu.

Le receveur est allongé sur le ventre

Cet enchaînement devrait prendre de vingt à trente minutes.

Massage avec les paumes

Dans cette manœuvre destinée à l'échauffement du receveur, vous allez promener vos mains sur son dos, ses fesses, ses bras et ses jambes. Vous pouvez le faire dans n'importe quel ordre. Gardez simplement vos paumes décontractées et massez tout le corps du receveur tel qu'illustré ; cela lui permettra de se relaxer et vous donnera l'occasion d'établir un contact avec lui.

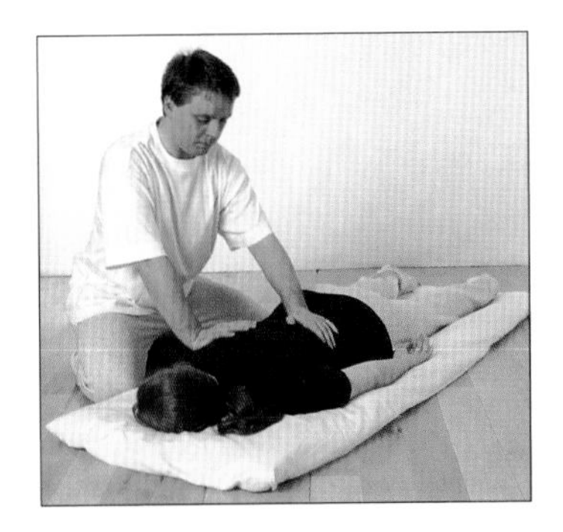

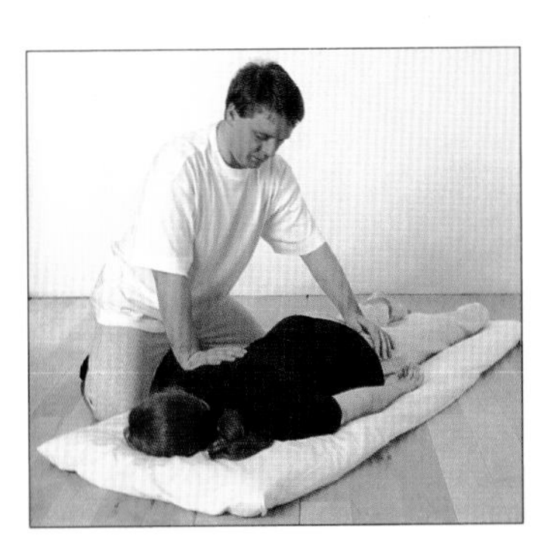

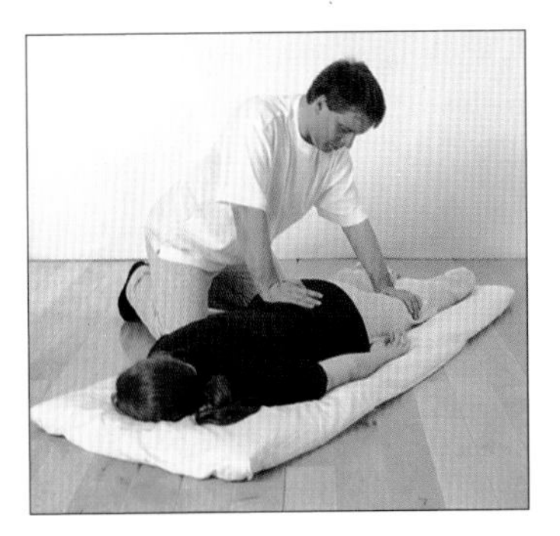

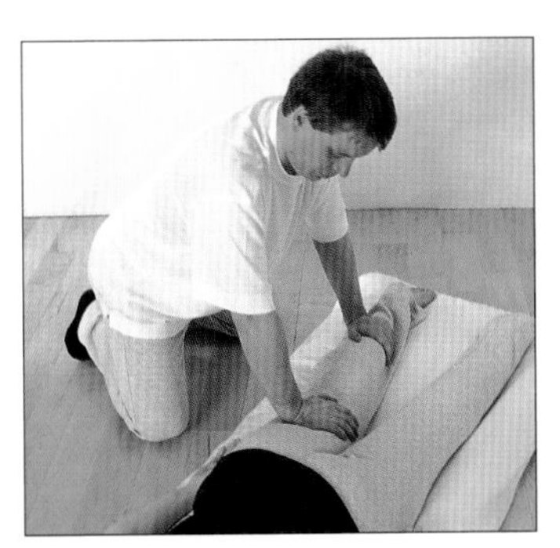

Étirements en croix

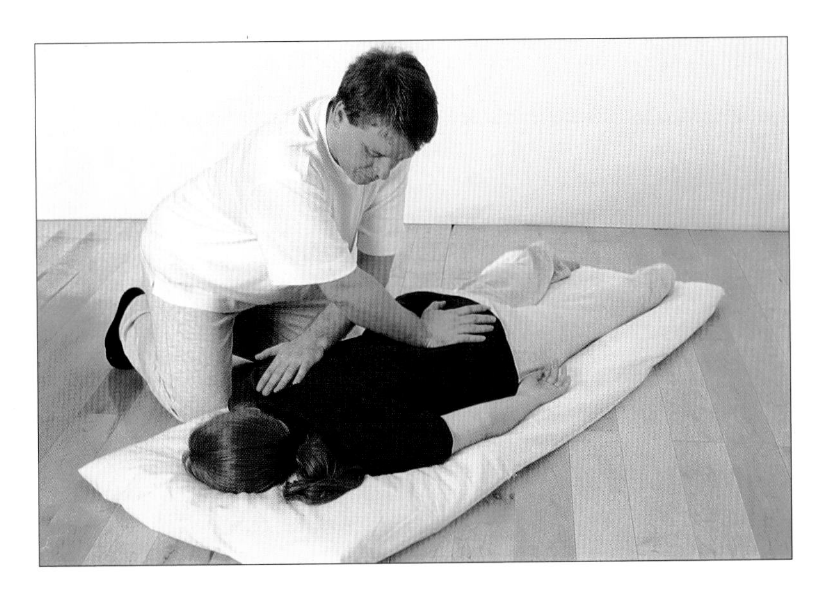

1. Croisez vos avant-bras. Placez une main en bas du dos, près des fesses, et l'autre près de l'omoplate. Penchez-vous doucement en avant de sorte que vos mains s'écartent et effectuent un étirement en croix.

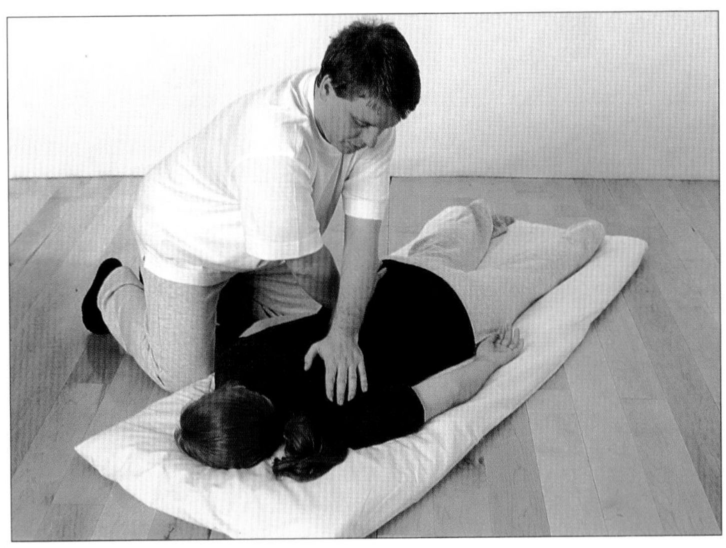

2. Répétez la manœuvre sur l'autre diagonale.

Étirements latéraux

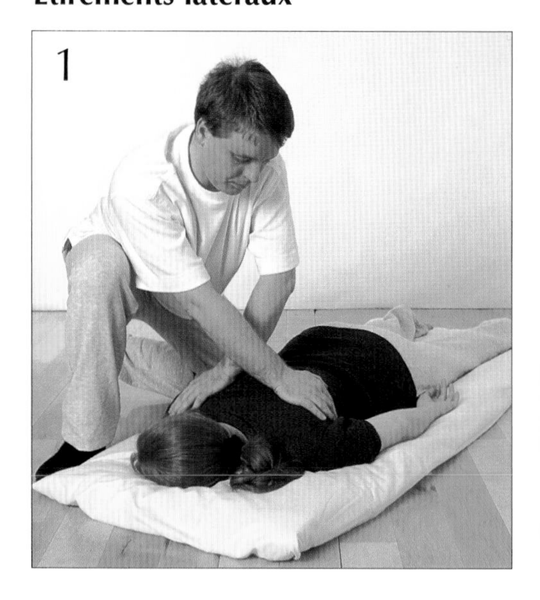

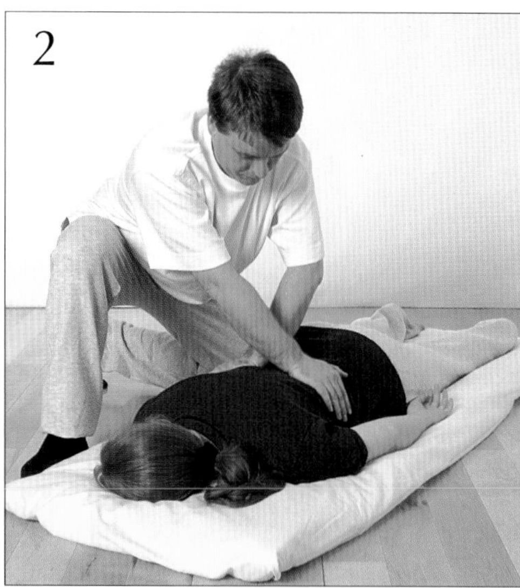

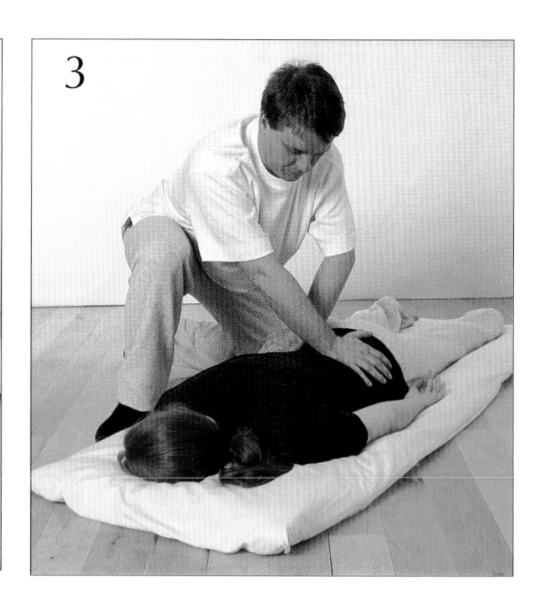

Placez vos bras en X. Posez vos mains de part et d'autre de la colonne vertébrale et étirez le dos latéralement en commençant au niveau des épaules (1), en continuant au niveau de la taille (2) et en terminant à la base de la colonne vertébrale (3).

Bercement

Lorsque vous travaillez le dos d'une personne, vous intervenez sur le méridien de la vessie qui est gouverné par l'élément eau. Il faudrait que vous gardiez ce détail à l'esprit lorsque vous effectuez le bercement.

1. Servez-vous d'une main pour bercer la moitié du dos.

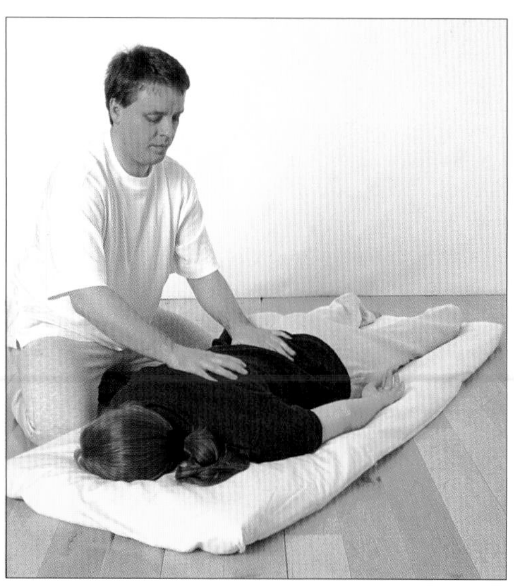

2. Lorsque la première partie bouge librement, servez-vous de l'autre main pour bercer d'autres parties du corps.

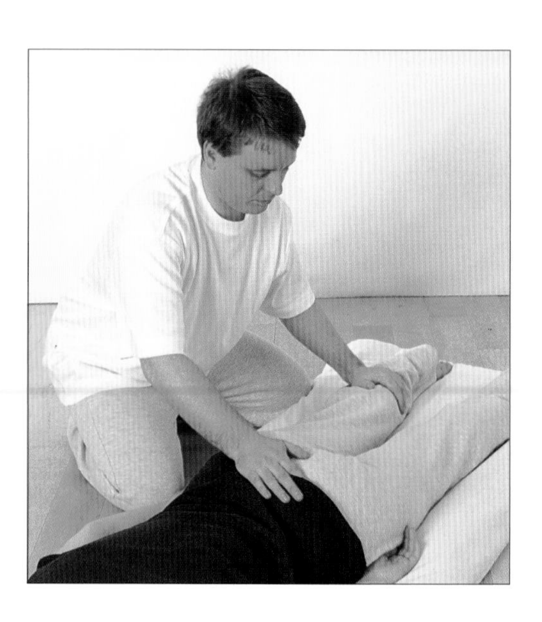

3. Si elle est effectuée en douceur, cette manœuvre détendra le receveur. Vous pouvez également employer cette technique sur les jambes.

Frictions du sacrum

Terminez cette partie de l'enchaînement en effectuant un massage du sacrum pour l'immobiliser. Adoptez un rythme doux et régulier.

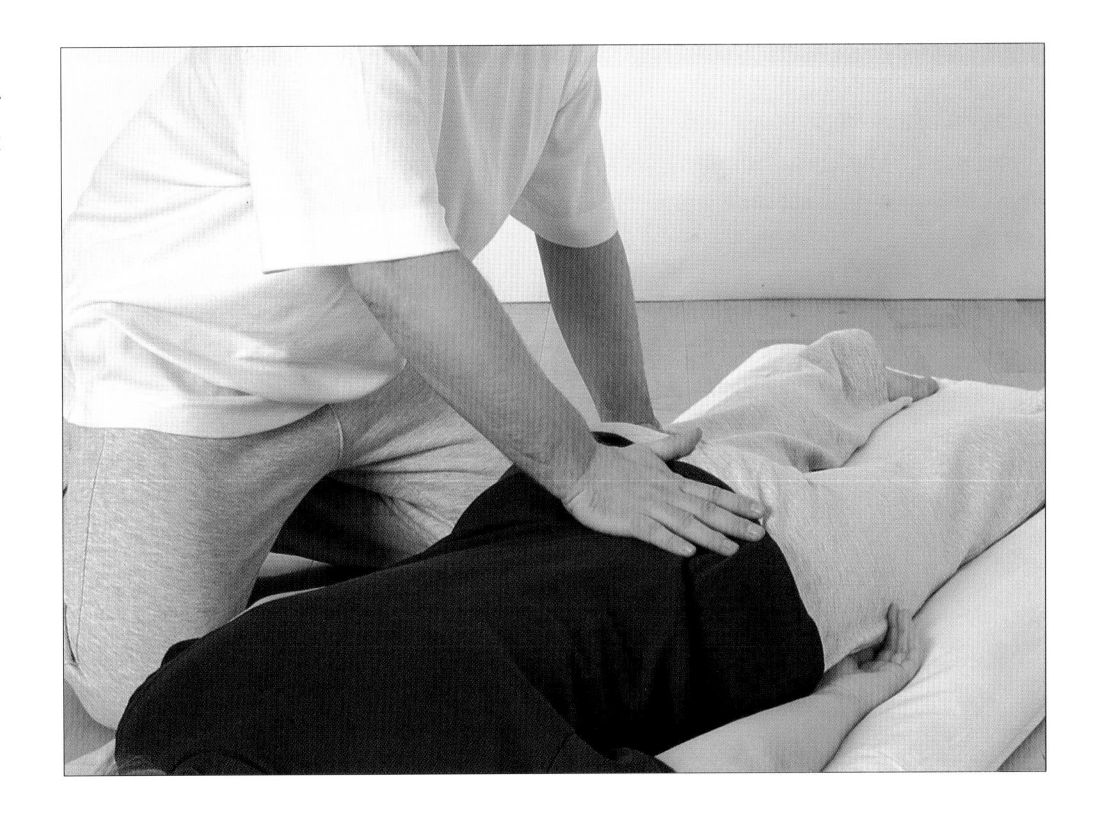

Frictions du dos

1. Gardez une main sur le receveur et agenouillez-vous à sa tête. Efforcez-vous de ne pas perdre le contact.

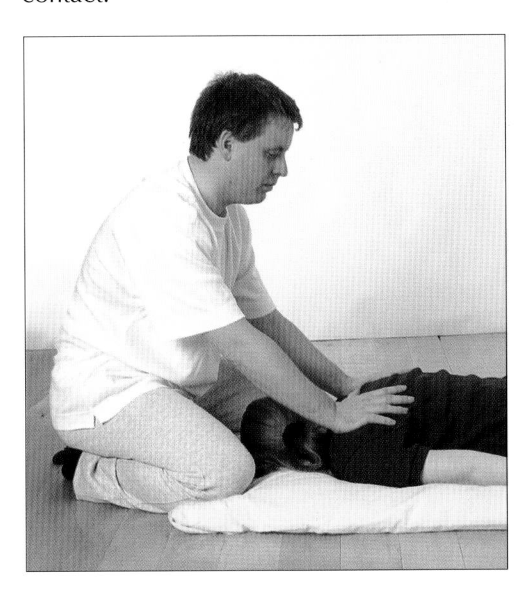

2. À l'aide des paumes, frictionnez le dos du haut en bas.

3. Lorsque vous arrivez au sacrum, arrêtez-vous et bercez-le légèrement pour détendre le dos.

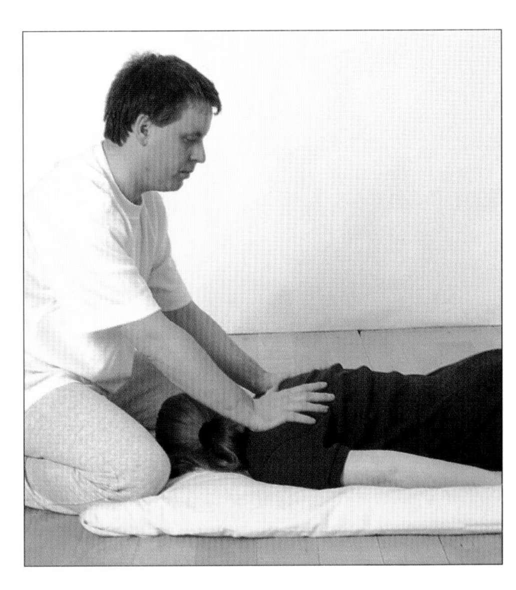

4. Faites glisser vos mains en haut du corps et répétez la manœuvre deux ou trois fois.

Pressions du pouce sur le méridien de la vessie

Nous allons maintenant travailler les deux côtés du méridien de la vessie. Si vous n'êtes pas certain de son emplacement, souvenez-vous qu'il est situé à une distance de deux doigts de part et d'autre de l'épine dorsale. Les *tsubos* sont situés dans les espaces intercostaux.

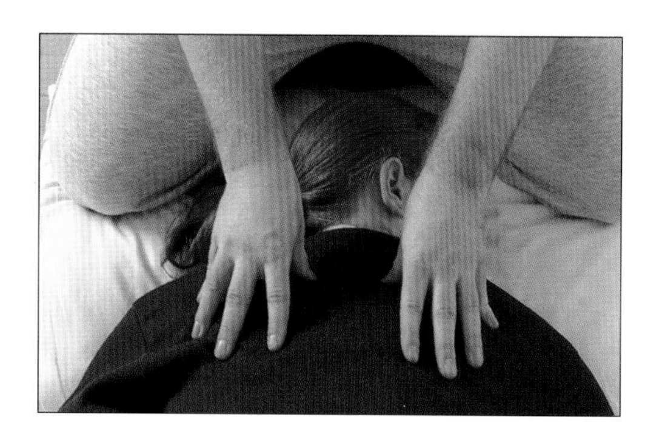

1. Commencez par des pressions délicates des pouces sur les points situés en haut de la colonne vertébrale. Il s'agit du point vessie 11. Travaillez progressivement sur tous les points.

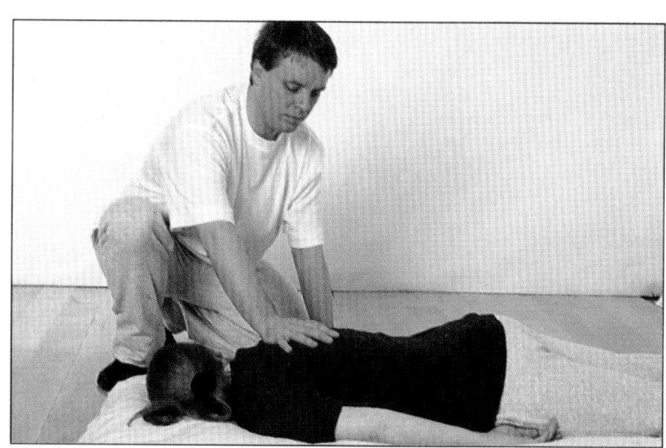

2. Lorsque vous atteindrez les points 16 ou 17, vous serez obligé de vous déplacer pour continuer. Veillez à bien garder vos pouces perpendiculaires au dos du receveur.

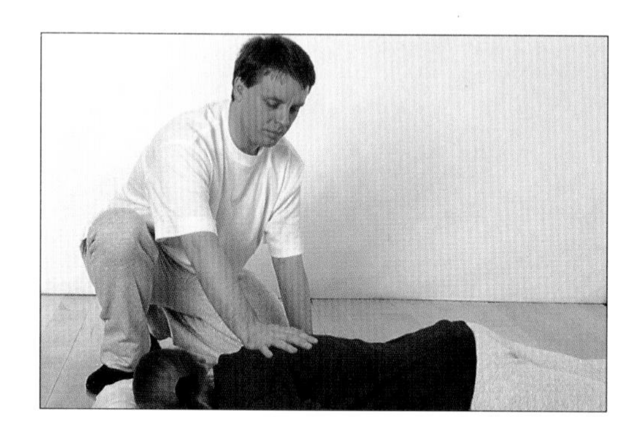

3. Vous devez maintenant vous déplacer tout en gardant le contact avec le corps du receveur.

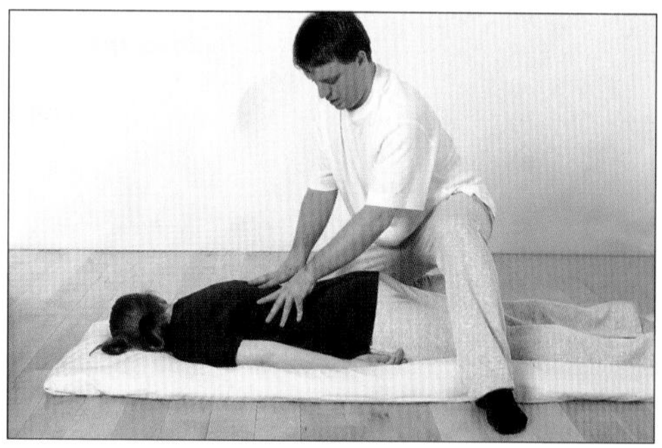

4. Placez-vous à côté du receveur pour travailler sur le reste du dos jusqu'à ce que vous arriviez au sacrum.

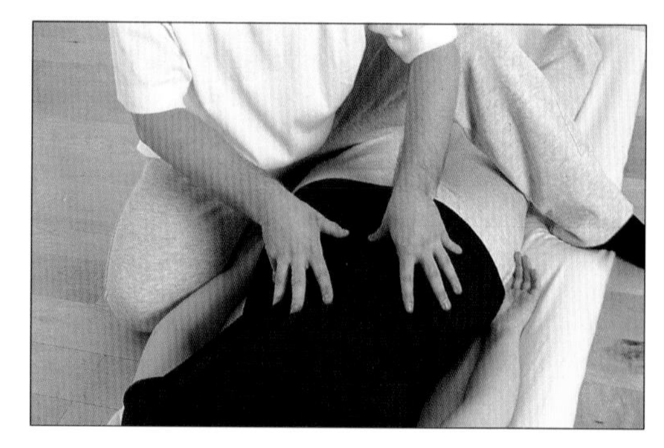

5. Il est important de placer vos mains correctement lorsque vous intervenez sur les points.

Pressions de la paume sur la jambe

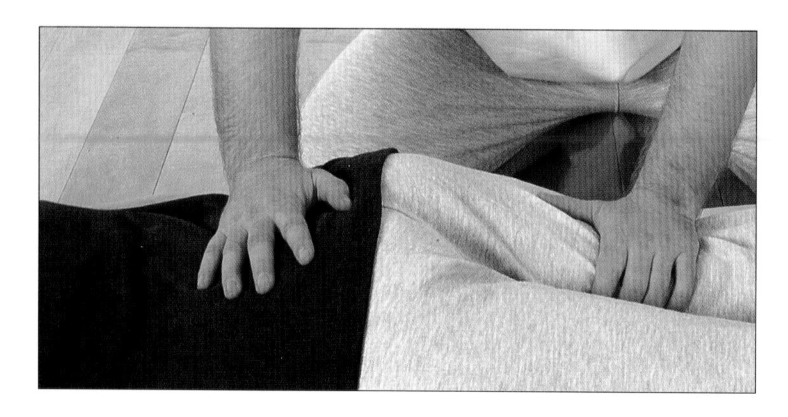

1. Gardez une main sur le sacrum et avec la paume de l'autre main, effectuez des pressions sur la jambe.

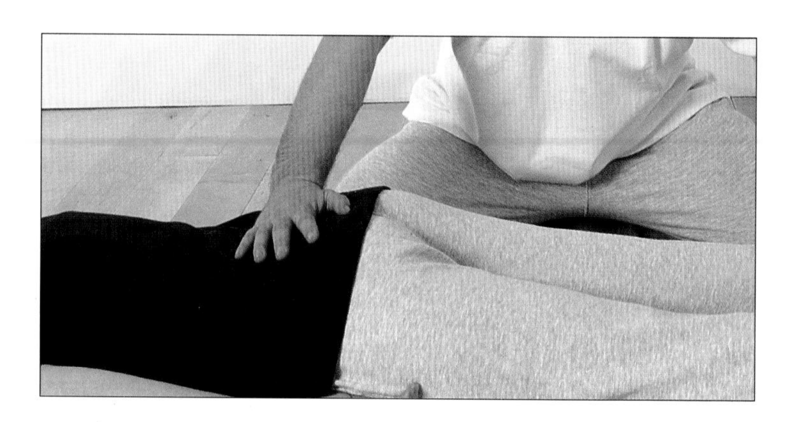

2. Continuez ainsi du haut en bas de la jambe.

Étirements de la jambe

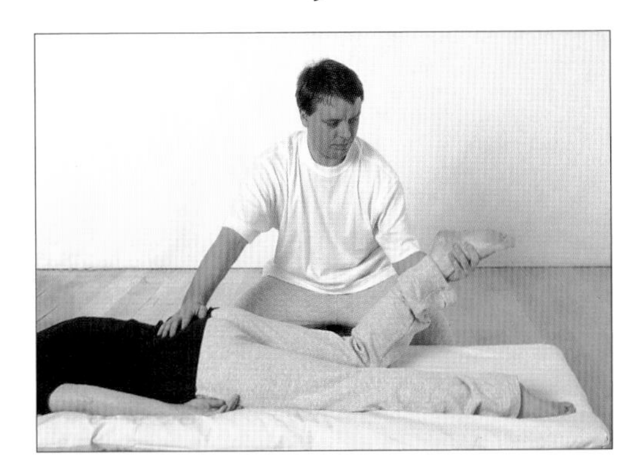

1. Gardez votre main passive sur le sacrum et de l'autre, saisissez la cheville du receveur.

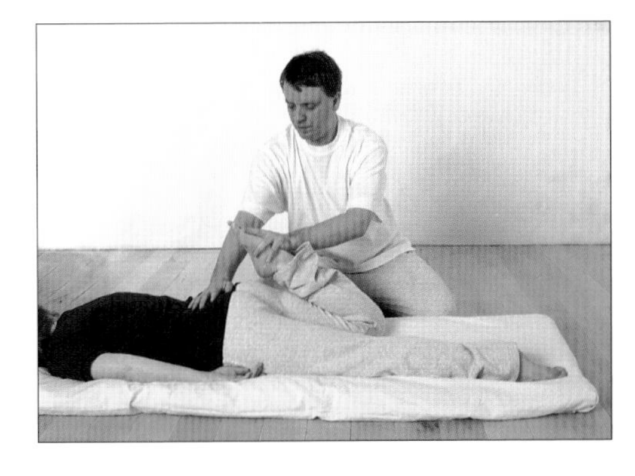

2. Amenez délicatement le pied vers la fesse pour étirer la jambe.

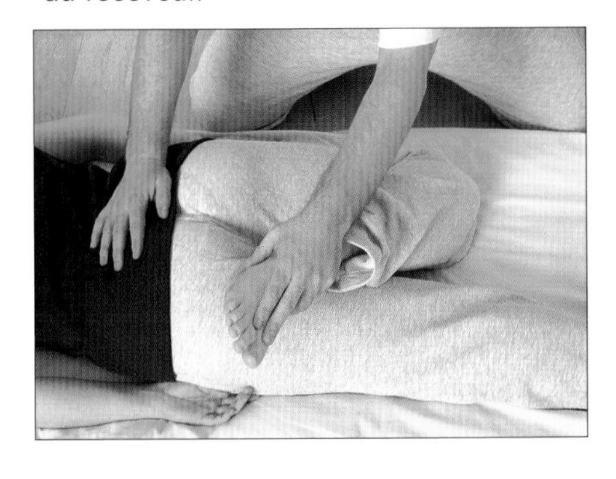

3. Vous pouvez aussi amener le pied vers la gauche du receveur.

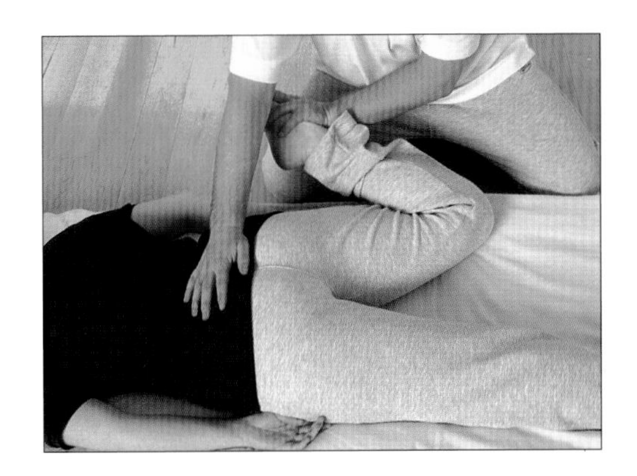

4. Pour équilibrer le mouvement, vous devez aussi étirer la jambe vers la droite.

Lorsque vous avez terminé, reposez la jambe très doucement ; ne la laissez pas tomber.

Pressions du pouce sur le méridien de la vessie dans la jambe

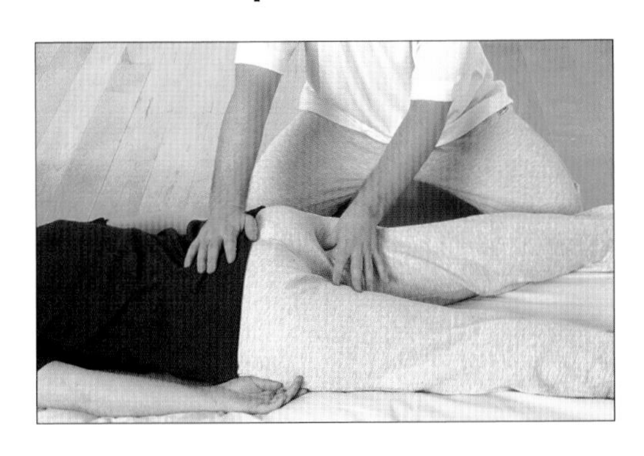

1. En gardant toujours votre main passive sur le sacrum, effectuez des pressions du pouce le long du méridien de la vessie situé au milieu de la jambe. Imaginez-vous qu'un courant énergétique passe entre votre main active et votre main passive.

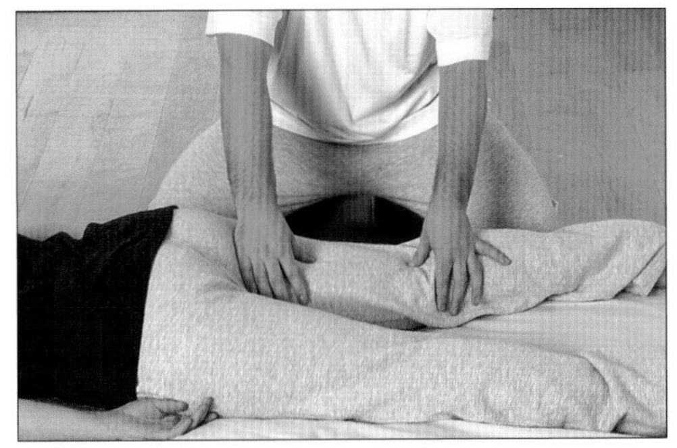

2. Lorsque votre main active sera trop éloignée de votre main passive, pour être plus à l'aise, faites glisser votre main passive un peu plus bas sur le méridien. Essayez de la placer sur un des *tsubos*, le point vessie 37 par exemple.

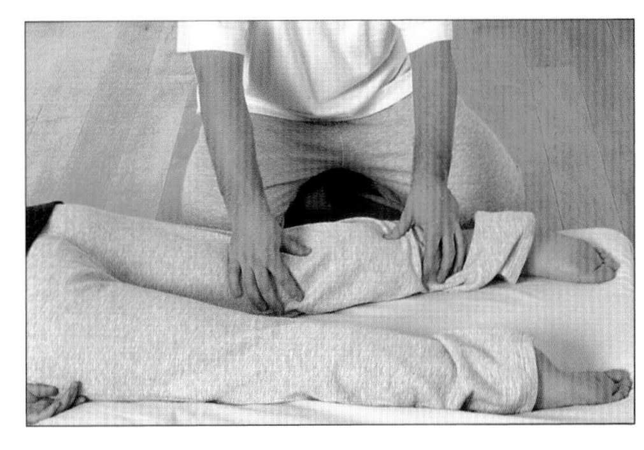

3. Continuez ainsi jusqu'à la cheville.

Rotations de la cheville

Tenez le bas de la jambe d'une main et de l'autre, imprimez des rotations au pied pour décontracter la cheville.

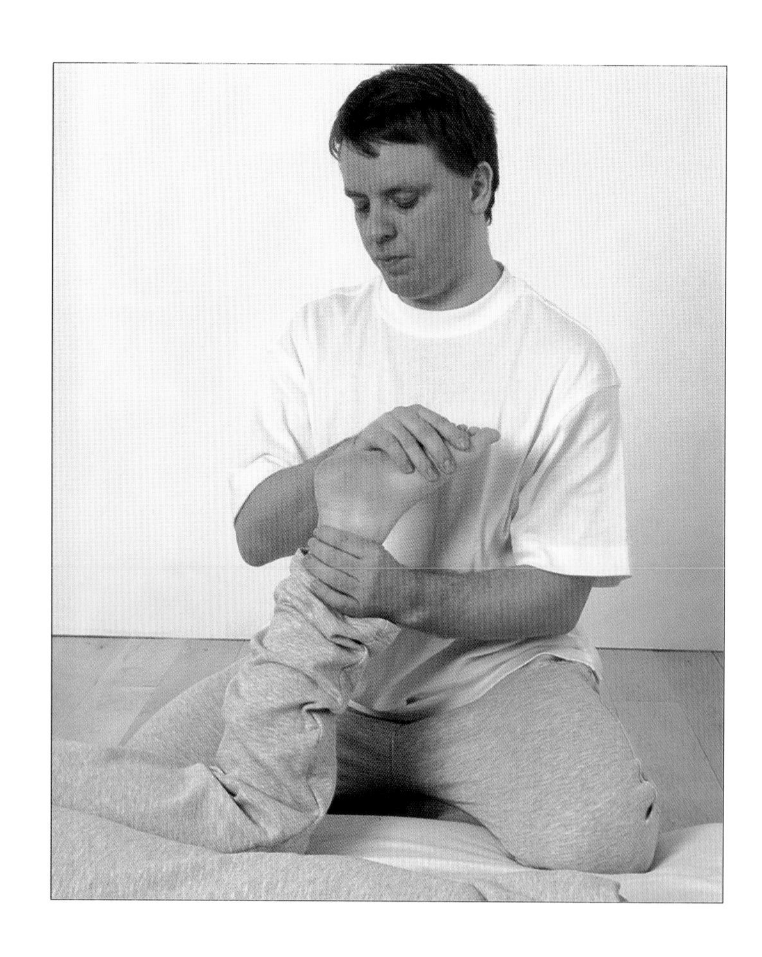

Pressions sur le méridien de la vessie dans le pied

1. Tenez le point vessie 60 d'une main et travaillez tout le pied.

2. Continuez à travailler le long du pied jusqu'à ce que vous atteigniez le point 67 sur le petit orteil.

Lorsque vous avez terminé, reposez délicatement le pied.

Travailler sur l'autre jambe

Déplacez-vous de l'autre côté du receveur et répétez l'enchaînement sur l'autre jambe.

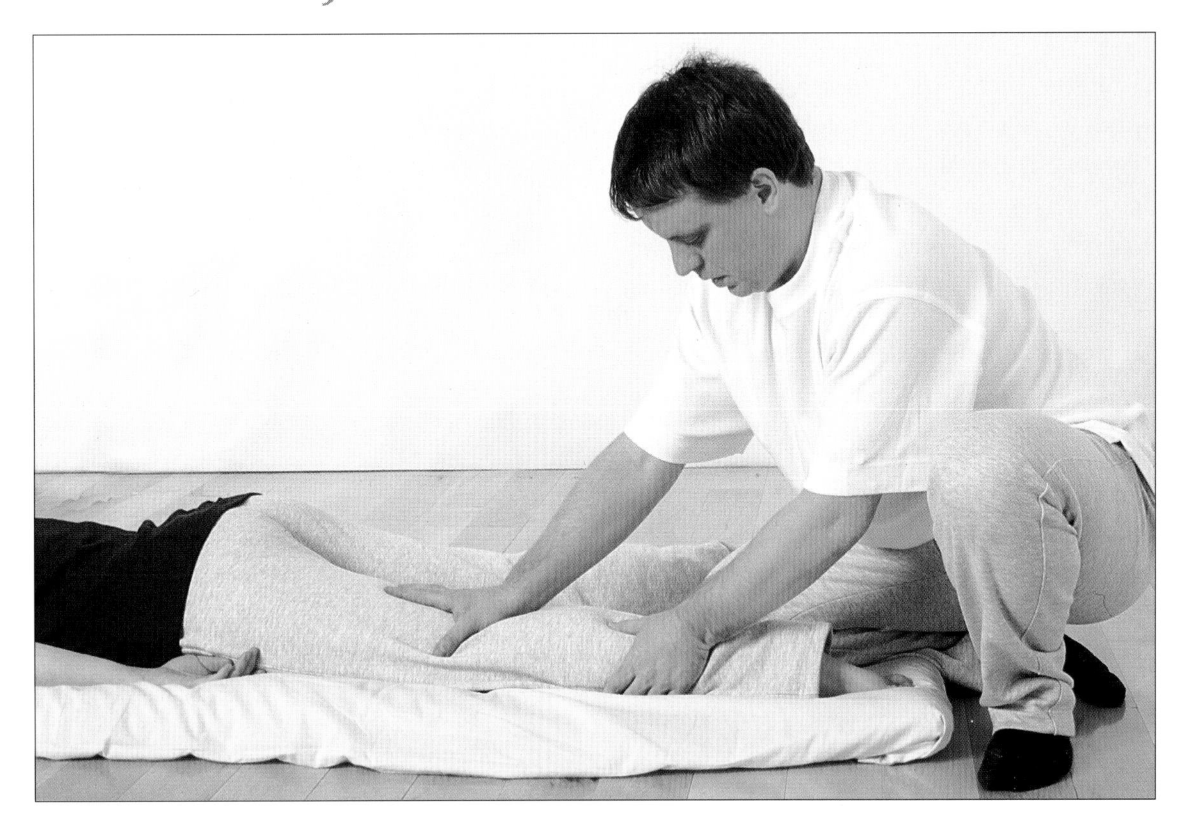

Toucher le point rein 1

Terminez le traitement en touchant le point rein 1, situé au centre de la plante du pied, pendant environ une minute.

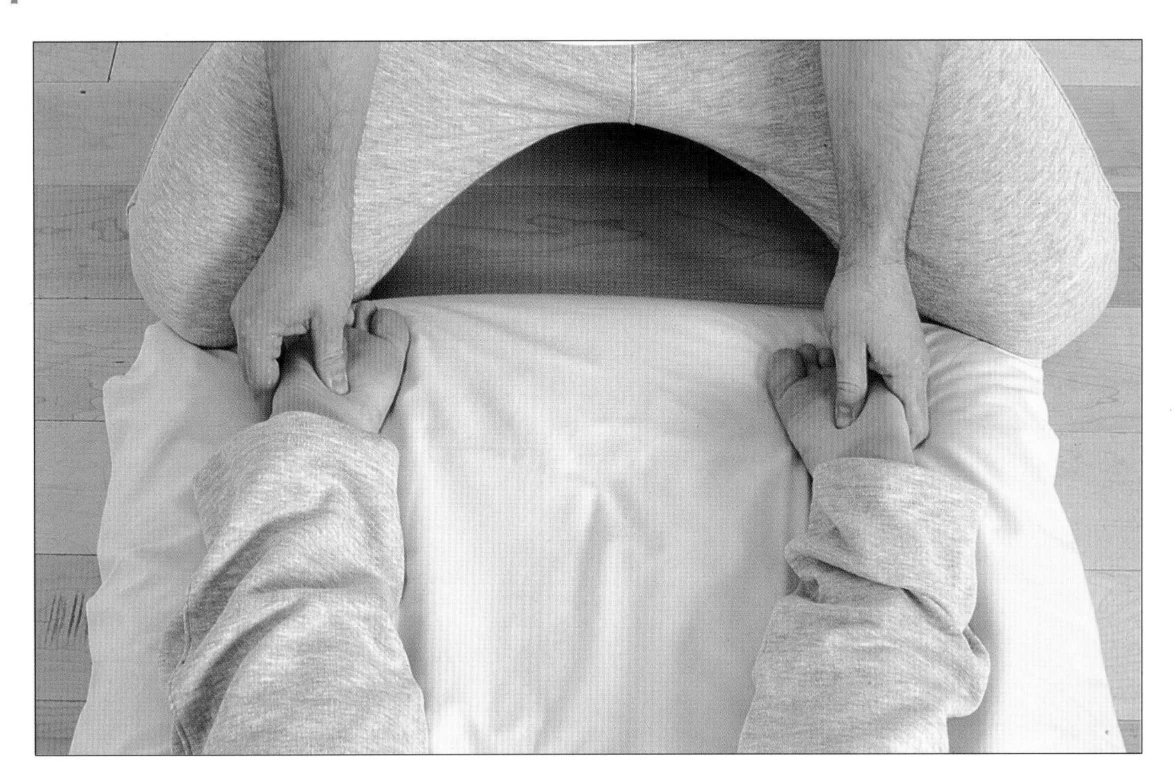

Le receveur est étendu sur le dos

Pour son confort, vous pouvez proposer à votre client un petit oreiller. La position sur le dos est parfaite pour travailler l'énergie terre présente dans les méridiens de la rate et de l'estomac, ceux dont on va justement parler ici. Nous décrivons également brièvement le travail sur le *hara* car il s'agit d'une zone très importante pour l'équilibre mental, qui est un aspect de l'énergie terre. Cet enchaînement devrait prendre de vingt à vingt-cinq minutes.

Tirer les talons pour étirer les jambes

Agenouillez-vous puis saisissez les talons et penchez-vous en arrière pour tirer doucement sur les jambes. Ne tirez pas au point que le receveur ait l'impression qu'on veut le traîner par terre.

Secouer les jambes

Imprimez une légère secousse à votre *hara* et servez-vous-en pour secouer les jambes du receveur. Reposez ensuite délicatement les pieds.

Amener le genou à la poitrine

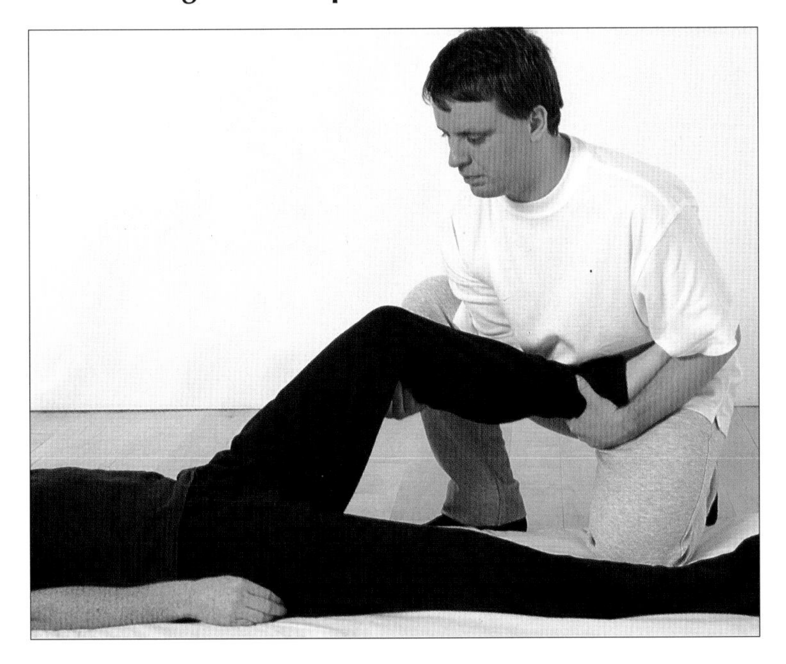

1. Saisissez délicatement une jambe et commencez à pousser le genou vers la poitrine.

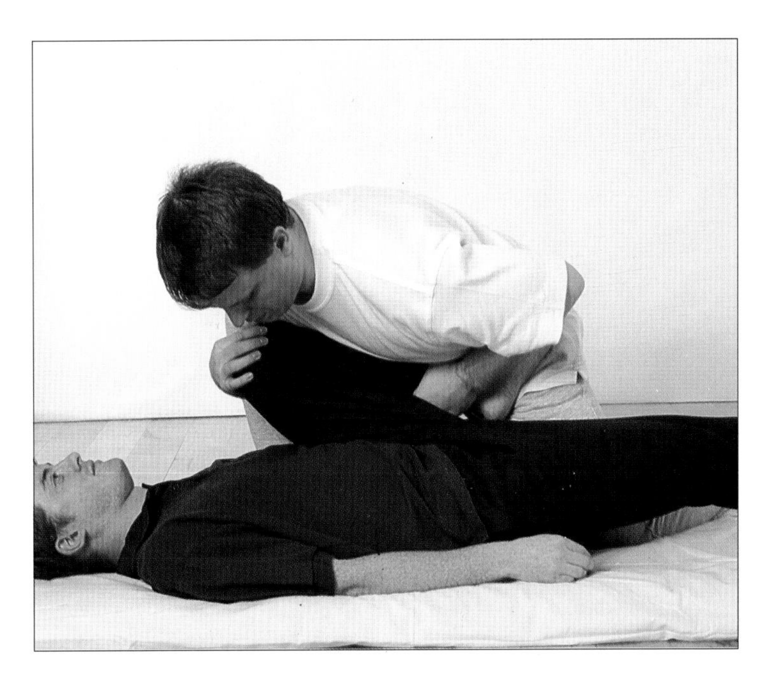

2. Cet exercice va étirer les muscles fessiers et le bas du dos. Servez-vous du poids de votre corps pour amplifier l'étirement.

Rotations de la hanche

Gardez le genou plié et tenez-le contre vous.

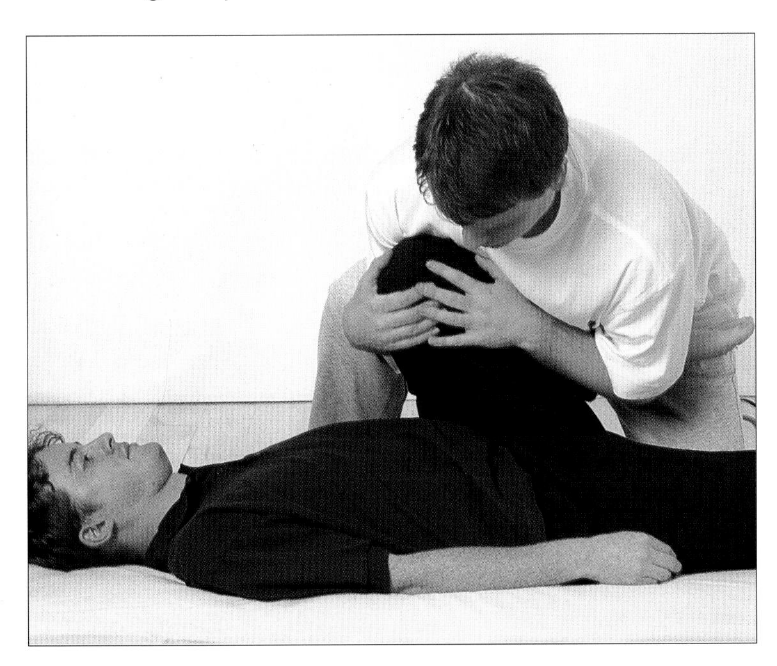

1. Effectuez une rotation du genou vers la droite du receveur.

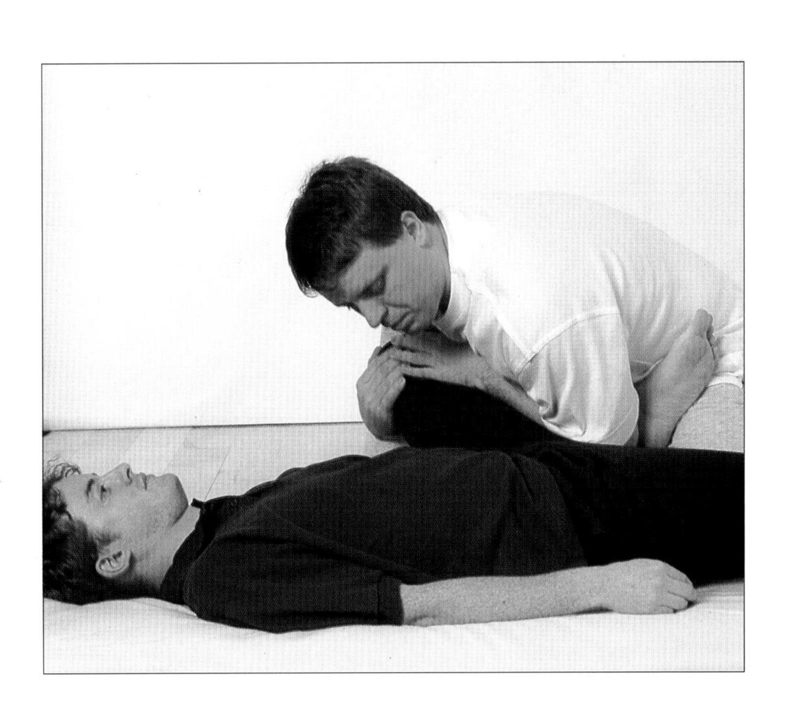

2. Effectuez ensuite une rotation vers la gauche du receveur.

Rotations de la cheville

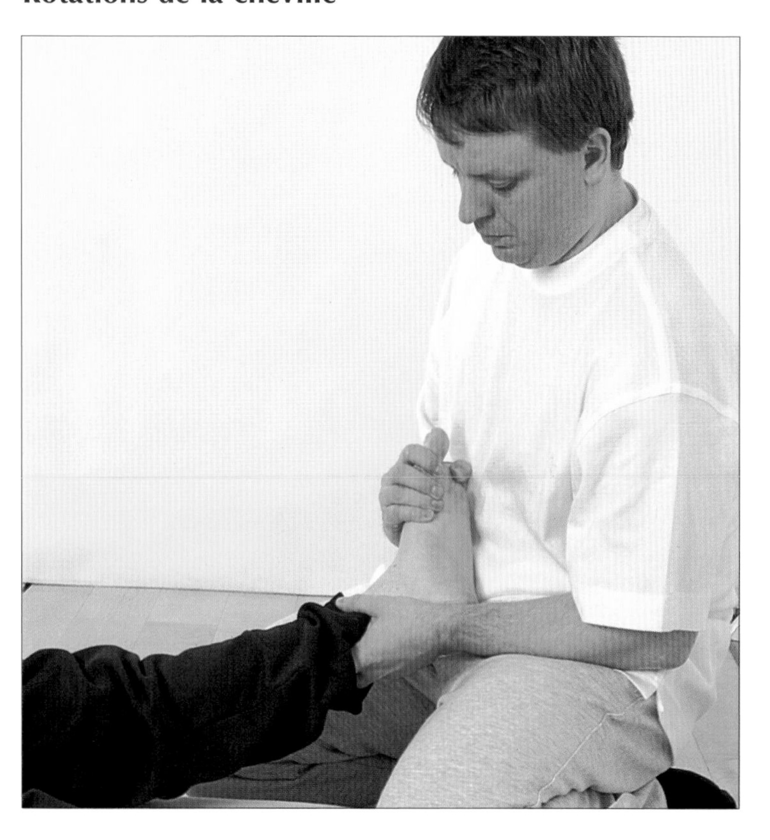

Replacez le pied en position d'étirement et imprimez des rotations à la cheville.

Travailler sur l'autre jambe

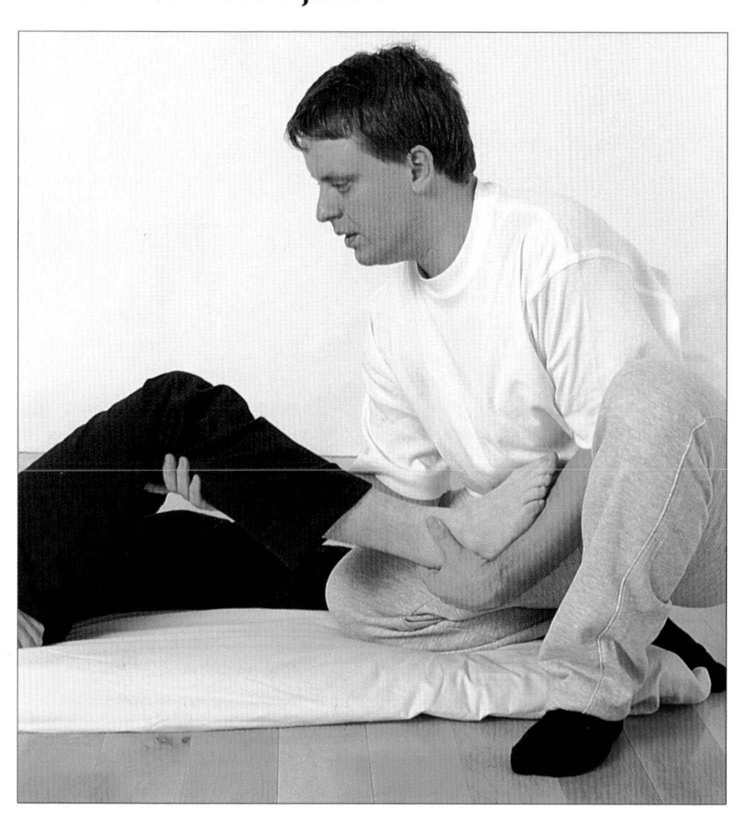

Répétez l'enchaînement sur l'autre jambe.

Massage de la main

Installez-vous dans une position où il vous est facile de tenir la main du receveur.

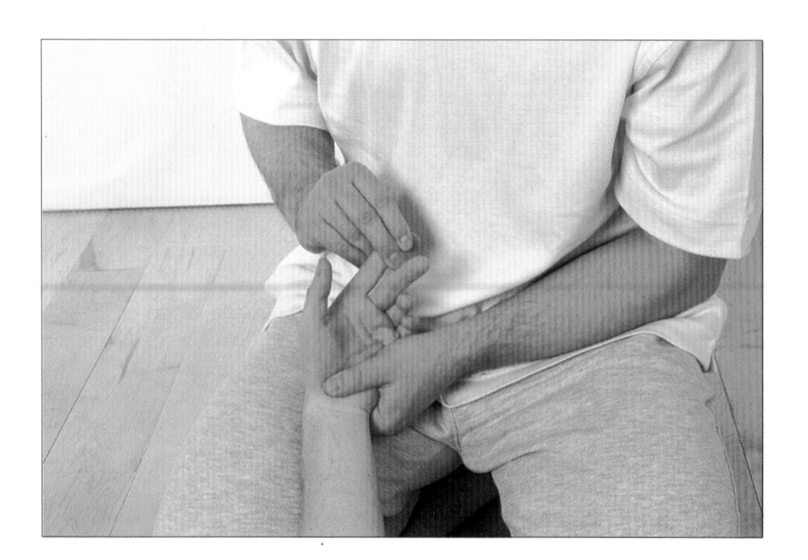

1. Commencez par masser doucement les doigts.

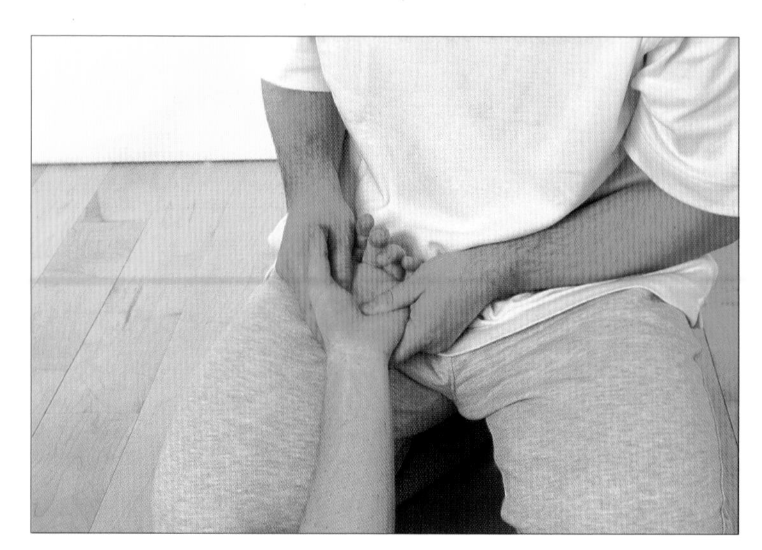

2. Massez ensuite toute la main.

Massage du bras avec la paume

Servez-vous du poids de votre corps pour masser le bras de votre client à l'aide de la paume, tel qu'il est décrit pour le massage du dos à la page 91.

Répétez les manœuvres sur l'autre bras.

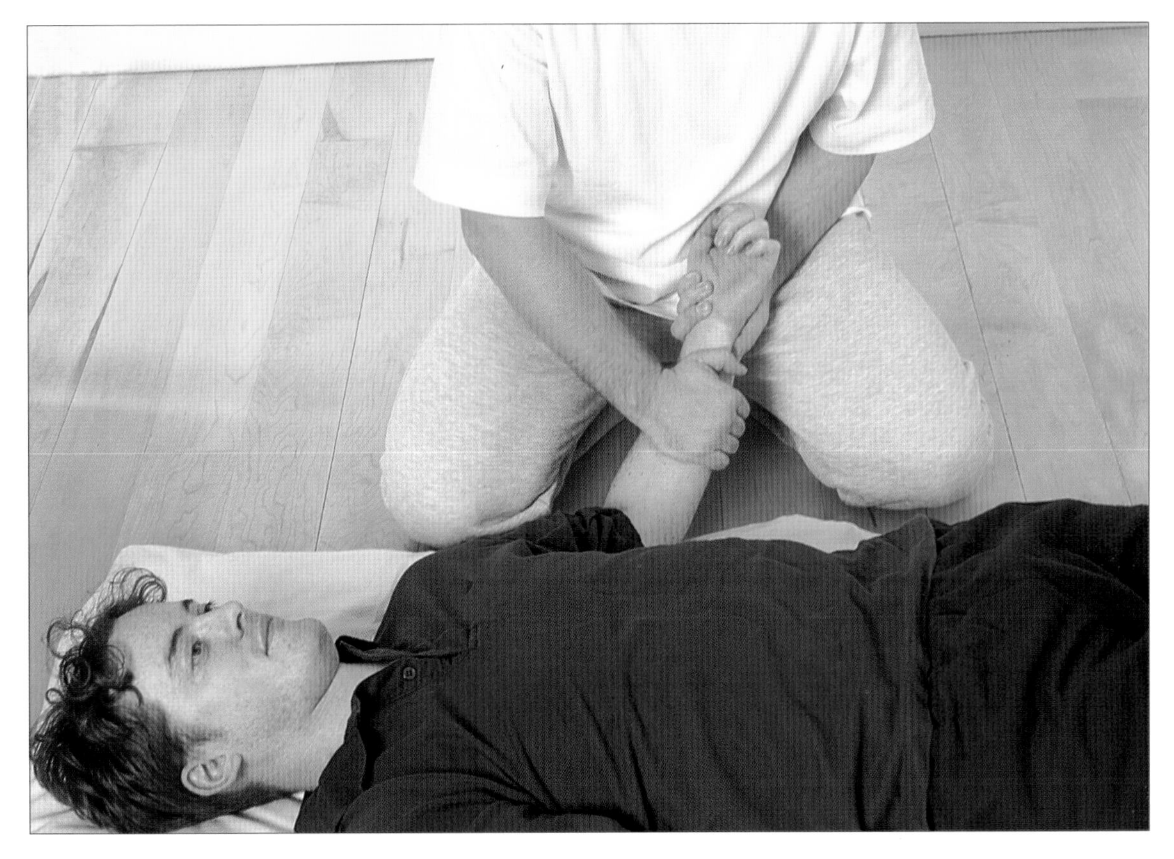

Travailler sur le *hara*

Une technique simple et efficace consiste à se servir de ses deux mains et à dessiner des cercles de plus en plus grands sur le *hara* dans le sens des aiguilles d'une montre. Lorsque vous avez effectué plusieurs spirales, effleurez le *hara* de vos deux mains comme vous le feriez pour le glaçage sur un gâteau.

À ce stade-ci, vous pouvez soit arrêter le traitement, soit continuer en travaillant les méridiens de l'estomac et de la rate.

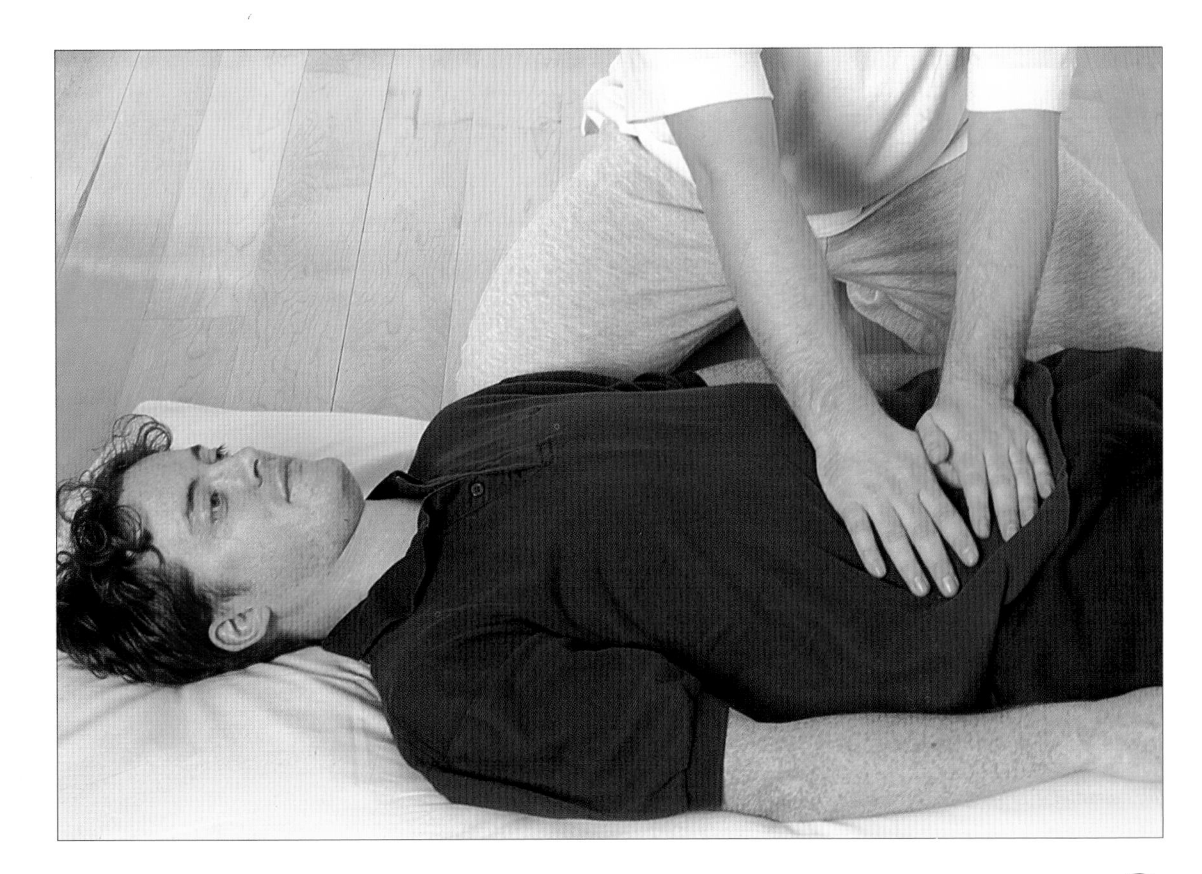

Travailler sur le méridien de la rate dans le pied, le tibia et le genou

1. D'une main, saisissez le point rate 1 situé à l'extrémité du gros orteil et de l'autre, travaillez en direction du point rate 6. Pour son confort, placez un coussin sous le genou du receveur.

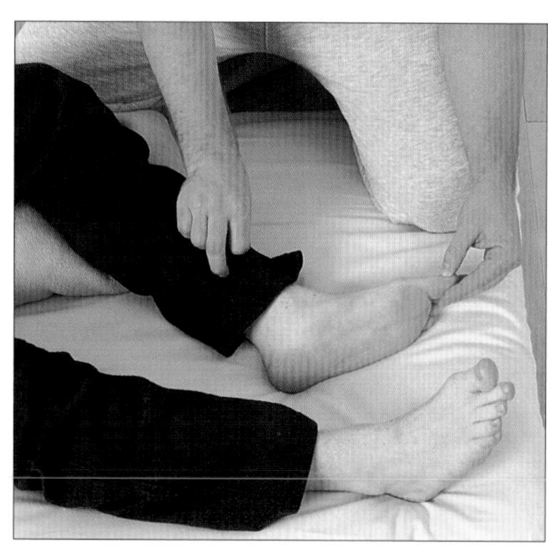

2. Lorsque vous avez atteint le point rate 6 avec votre main active, remplacez-la par votre main passive.

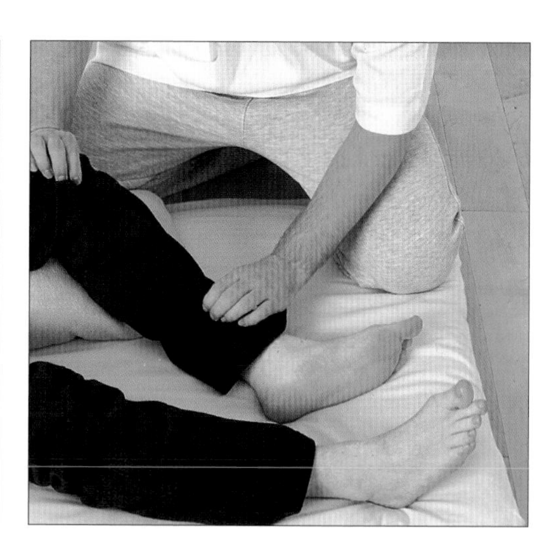

3. De cette manière, il vous sera plus facile de travailler jusqu'au genou.

Travailler sur le méridien de la rate à l'intérieur de la cuisse

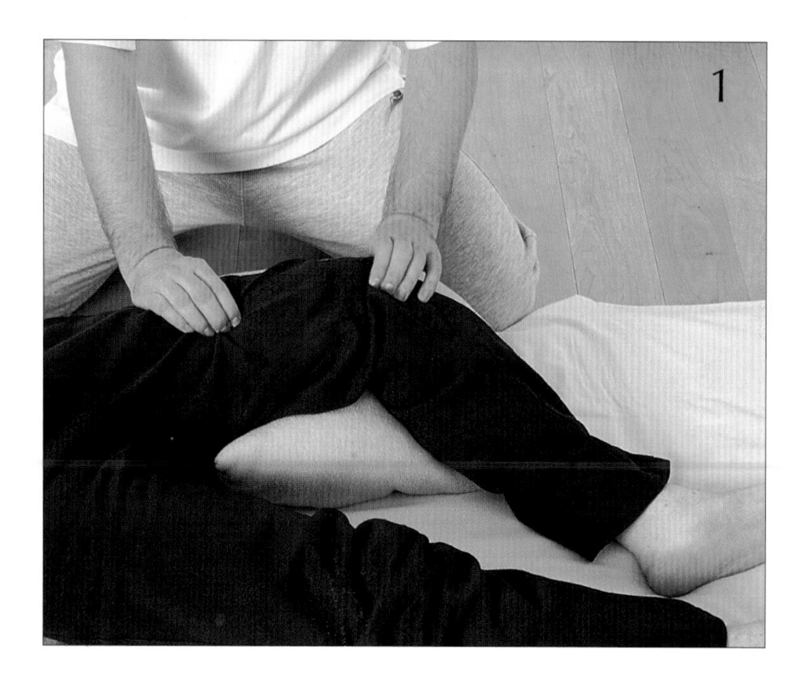

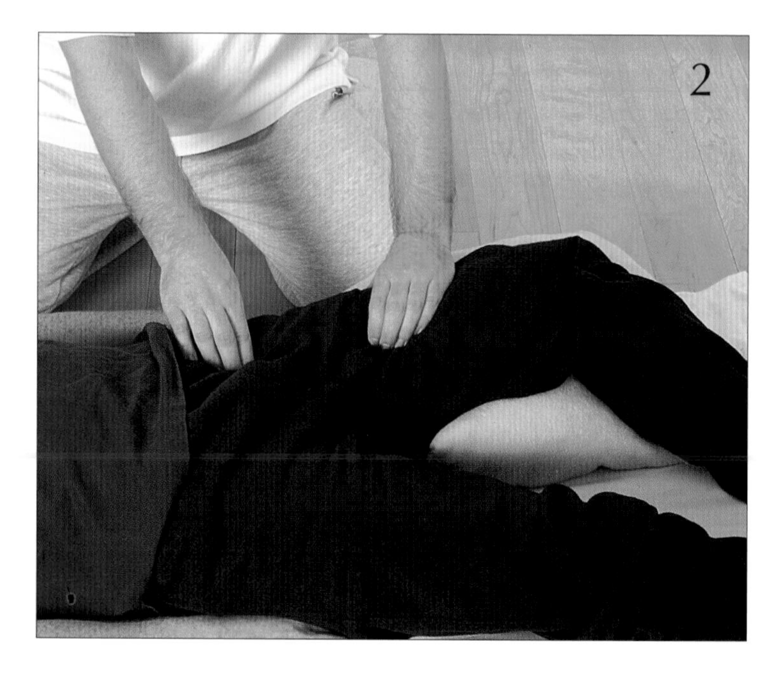

Gardez une main sur le point rate 10 et remontez jusqu'au *hara* tel qu'illustré ci-dessus.

Travailler sur le méridien de la rate jusqu'au *hara*

Le méridien est situé à environ une largeur de main de la ligne médiane de l'abdomen. Vous pouvez aller jusqu'à la base de la cage thoracique et vous arrêter là.

Travailler sur le méridien de l'estomac jusqu'au *hara*

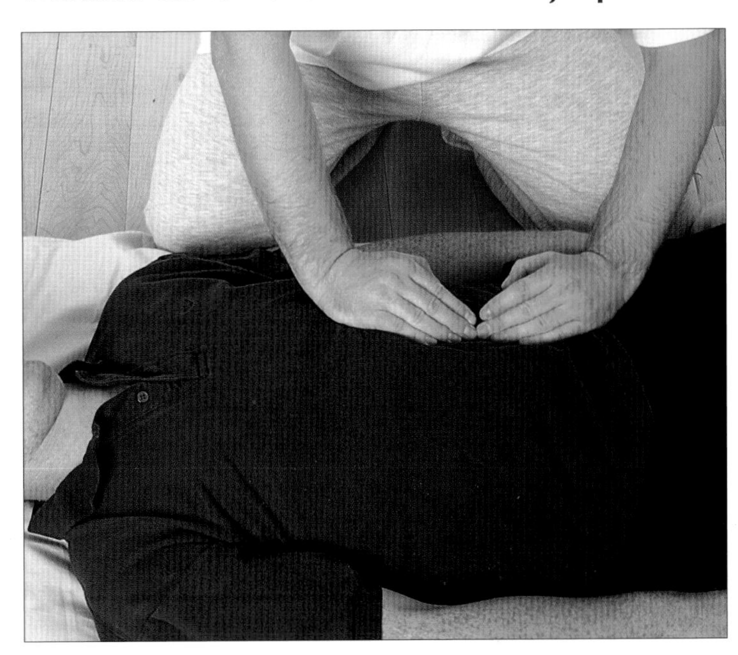

Le méridien de l'estomac est situé sur une ligne qui se trouve à 2 *cun* (un peu plus de la largeur de deux doigts) de la ligne médiane. Arrêtez-vous à peu près à hauteur de la ceinture du pantalon.

Travailler sur le méridien de l'estomac dans le pied, le tibia et le genou

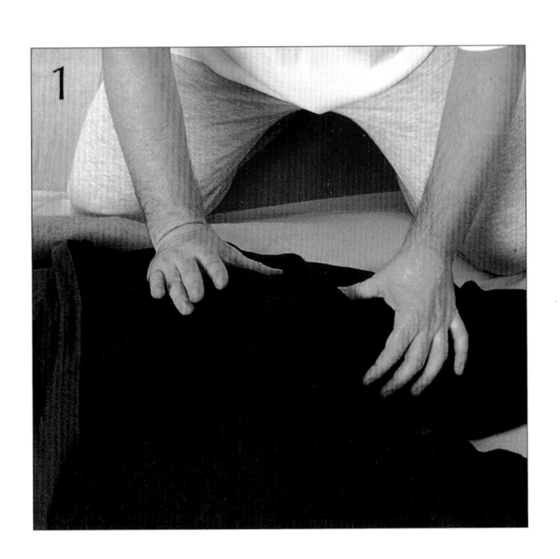

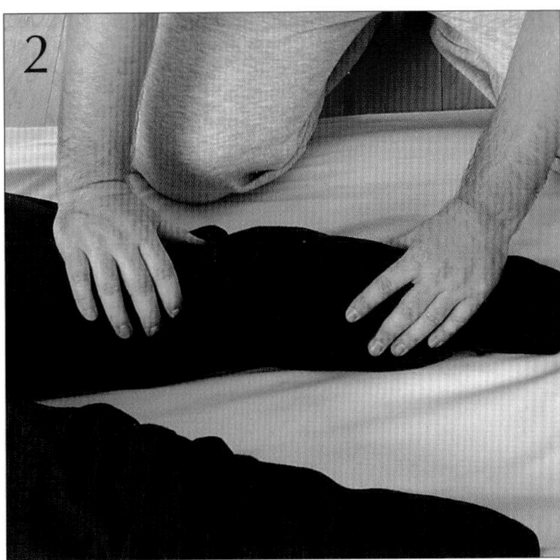

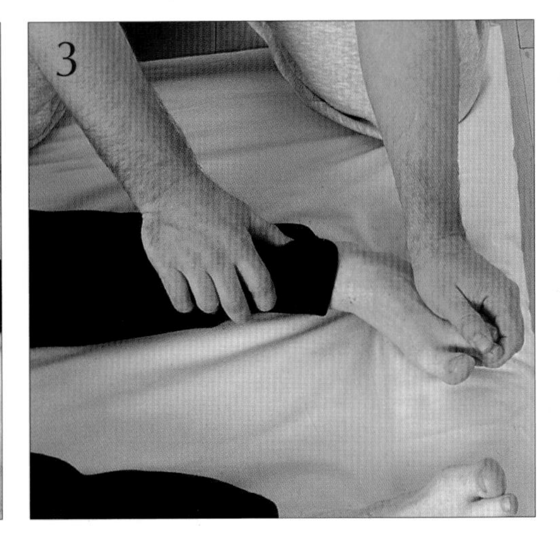

Le méridien de l'estomac est situé sur la partie externe de la jambe. Procédez de la même manière que pour le méridien de la rate. Portez une attention particulière aux points 34 (1), 36 (2) et 40 (3), si vous vous souvenez de leur emplacement.
Terminez cet enchaînement en touchant, durant quelques minutes, le point estomac 45 situé à l'extrémité du deuxième orteil.

Achevez le traitement en travaillant sur les méridiens de l'estomac et de la rate situés de l'autre côté du corps.

Le receveur est couché sur le côté

Cette position est idéale pour intervenir sur l'énergie bois contenue dans les méridiens de la vésicule biliaire et du foie. Le receveur doit prendre la position latérale de sécurité utilisée lors des cours de premiers soins. Il est ainsi plus stable, ce qui est préférable pour vous, et aussi plus à l'aise.

Veillez à avoir suffisamment d'oreillers ou de coussins pour soutenir le cou. Le traitement devrait prendre environ quinze minutes pour chaque côté du corps.

Rotations de l'épaule

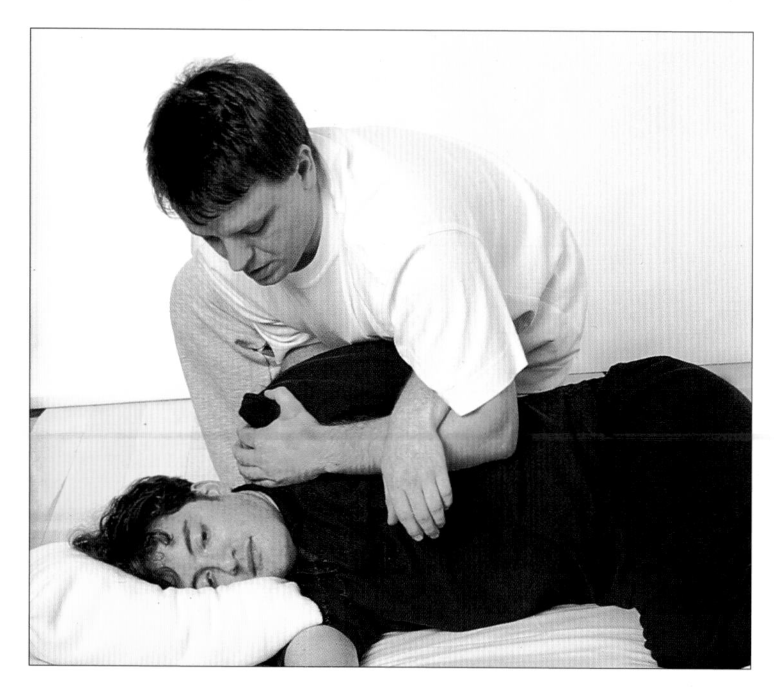

1. Saisissez l'épaule de vos deux mains et imprimez-lui une rotation. Restez très proche du receveur pour garder un contact maximum avec lui et travaillez à partir de votre *hara*.

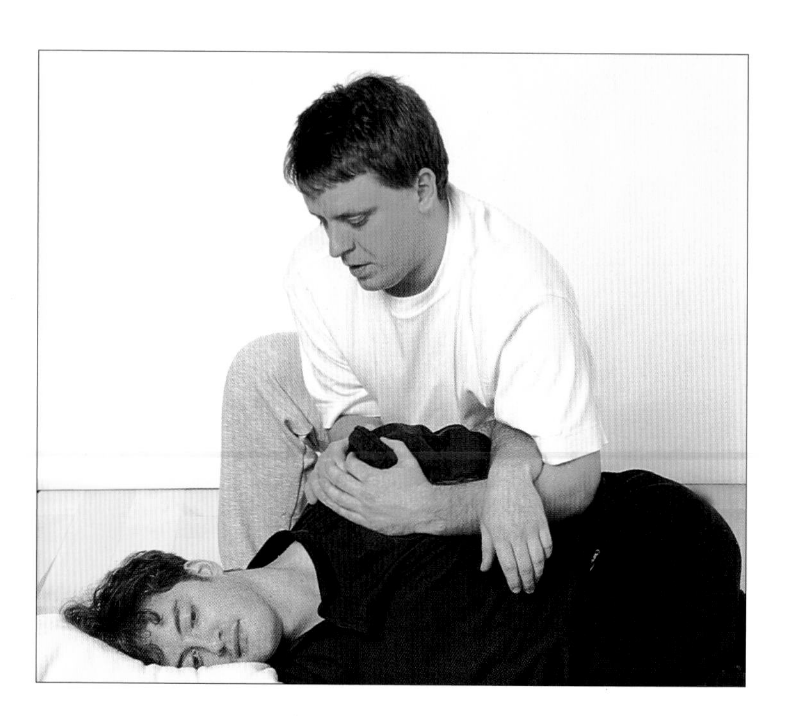

2. Commencez par de petites rotations puis amplifiez-les graduellement.

Écartement de l'épaule

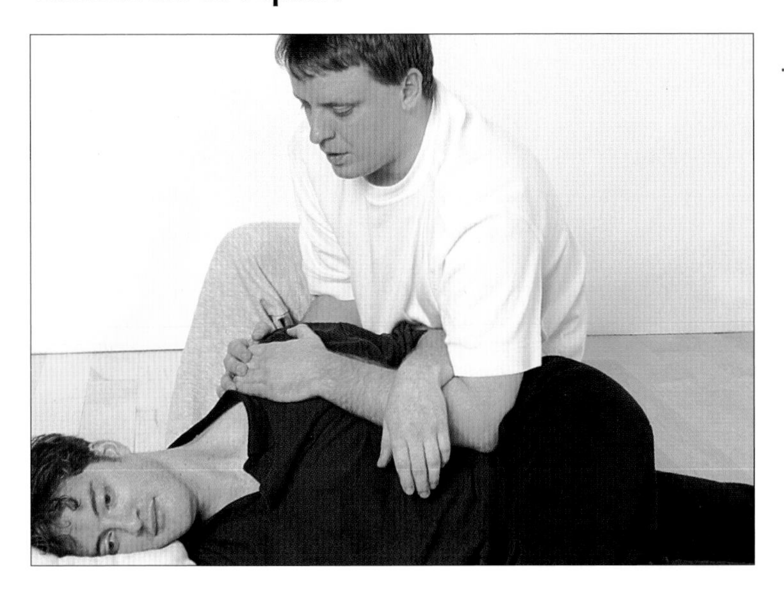

1. Gardez les deux mains en contact avec l'épaule et penchez-vous en arrière pour étirer l'épaule et le cou.

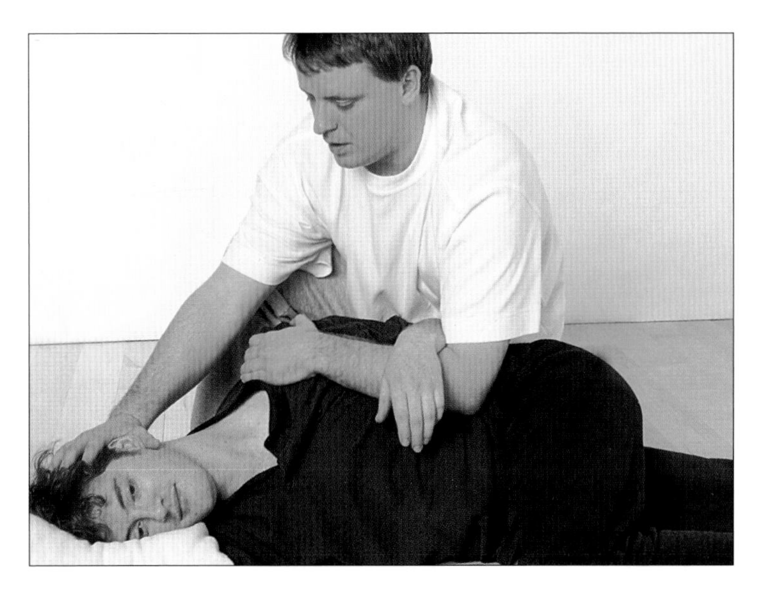

2. Déplacez une main et posez le pouce sur le point vésicule biliaire 12, au-dessous de l'oreille. Déplacez légèrement la main qui est sur l'épaule pour pouvoir poser un doigt sur le point vésicule biliaire 21. Étirez le côté du cou en tirant sur ces points.

Étirement du bras (vertical)

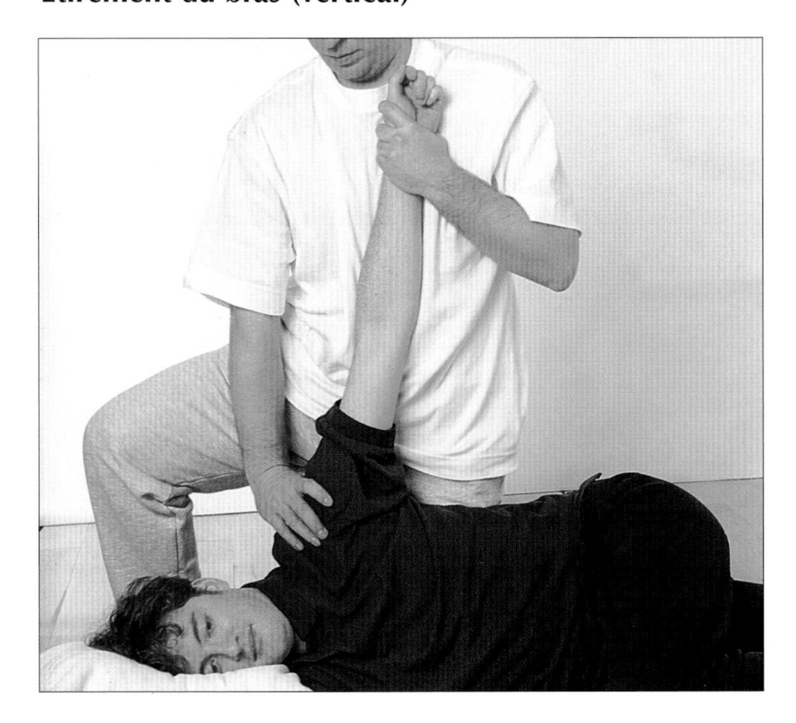

Saisissez le poignet et tirez le bras à la verticale. C'est une bonne occasion de travailler brièvement sur le méridien du péricarde situé au milieu du bras.

Étirement du bras (horizontal)

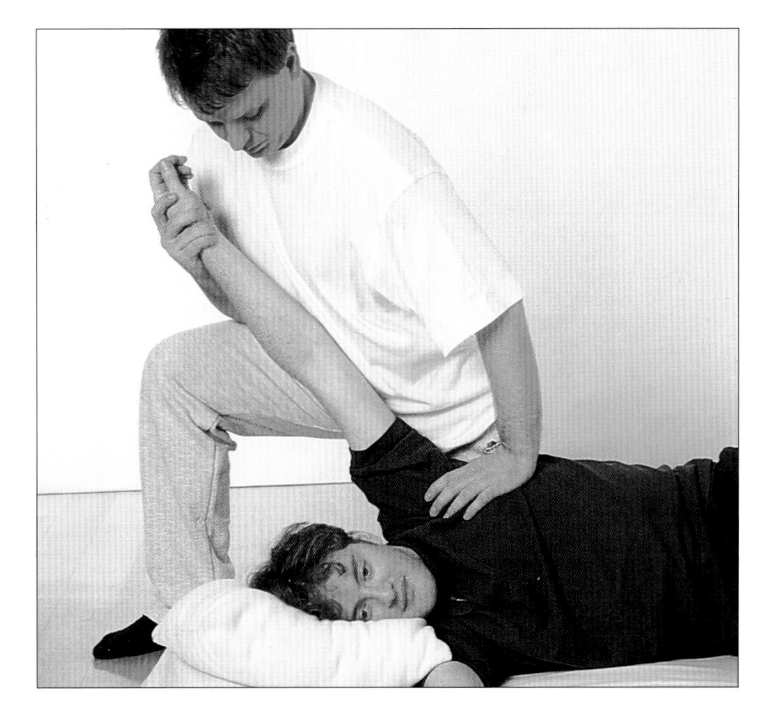

Tenez toujours le bras et tirez-le cette fois à l'horizontale. Aidez-vous en vous penchant en avant.

Pressions de la paume sur le méridien des poumons

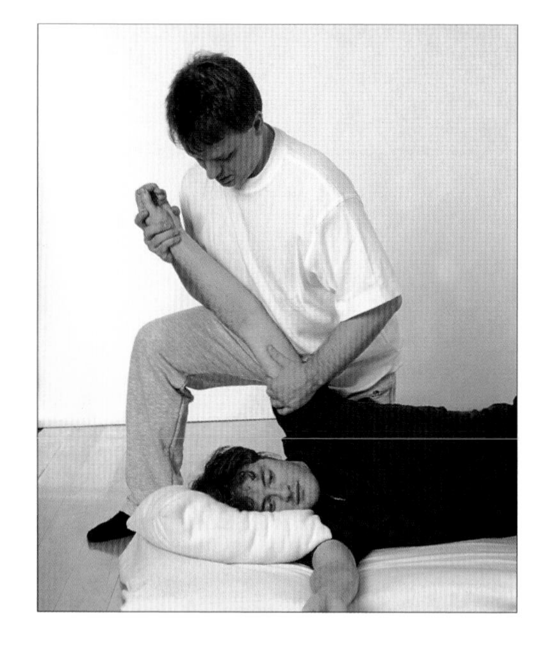

1. Le méridien des poumons est maintenant accessible ; commencez donc par le point poumons 1 situé dans le thorax.

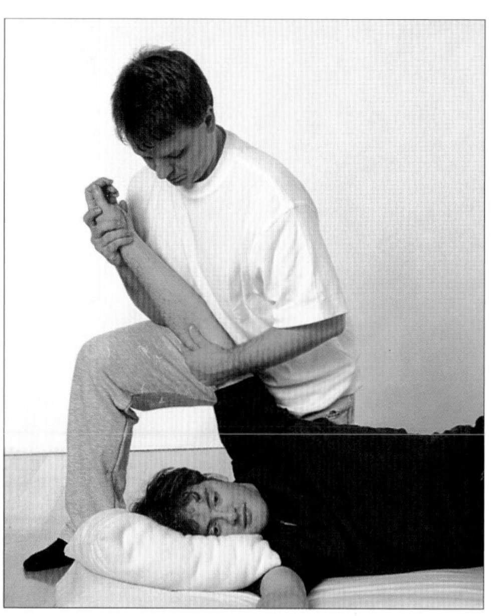

2. Travaillez le long du bras.

3. Terminez à l'extrémité du pouce.

Étirement de « l'aile de poulet »

Le nom de cet étirement s'explique aisément lorsqu'on le voit faire.

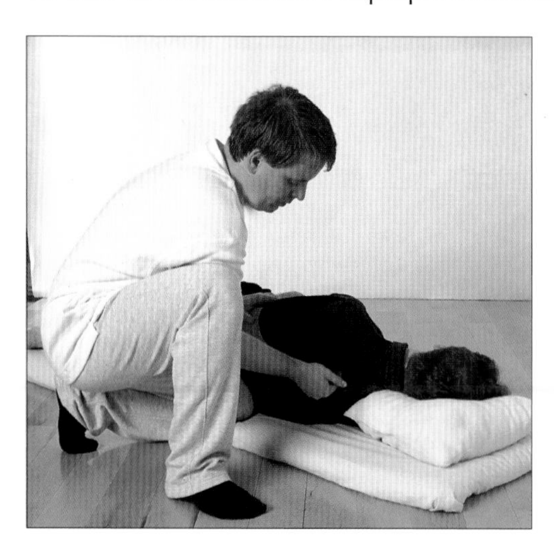

1. Tirez le coude vers l'arrière afin de faire ressortir l'omoplate.

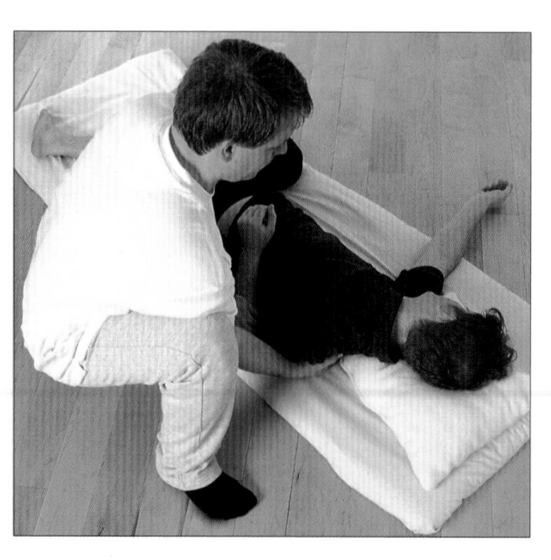

2. Placez vos doigts sous l'omoplate et tirez le bras vers l'arrière pour effectuer une mobilisation de l'omoplate.

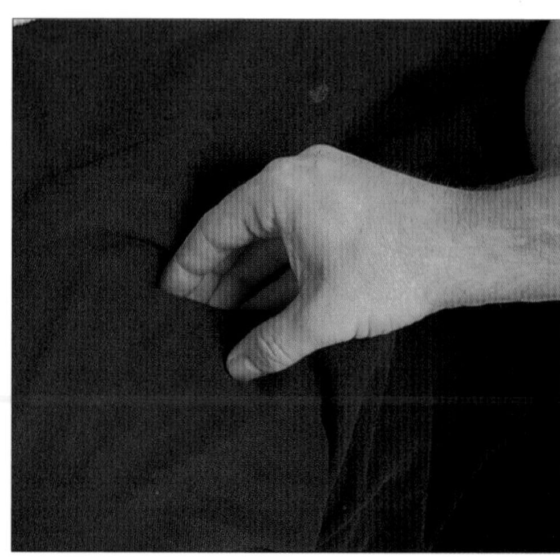

3. Cette photo montre le mouvement de la main.

Travail général sur le méridien

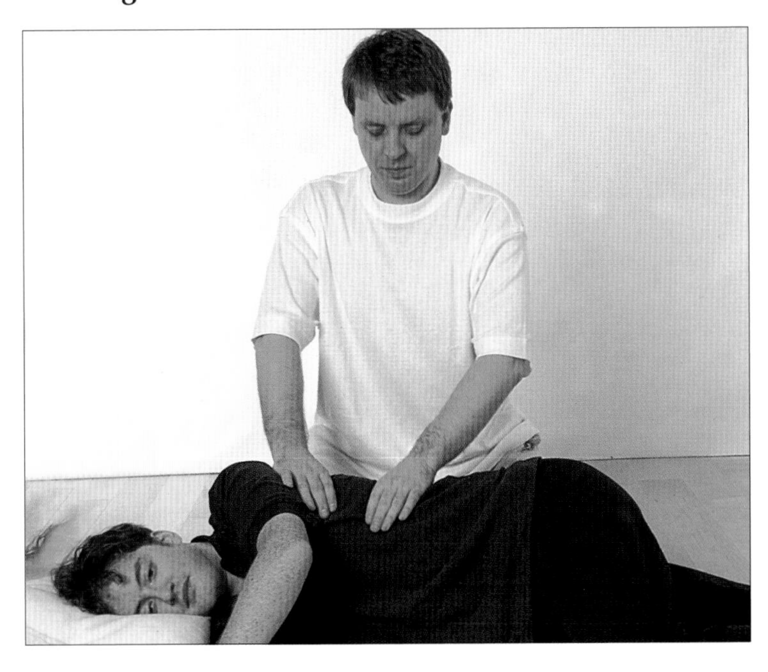

1. Pour effectuer cette manœuvre, on se sert de la zone située entre le pouce et l'index.

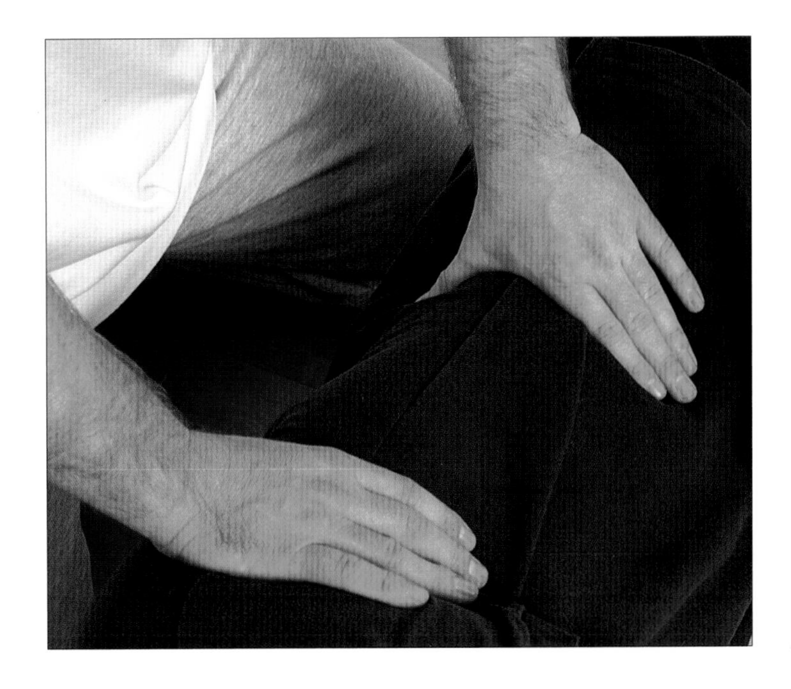

2. Travaillez sur le méridien de la vésicule biliaire situé sur le flanc. Gardez en tête l'énergie bois.

Étirement du flanc

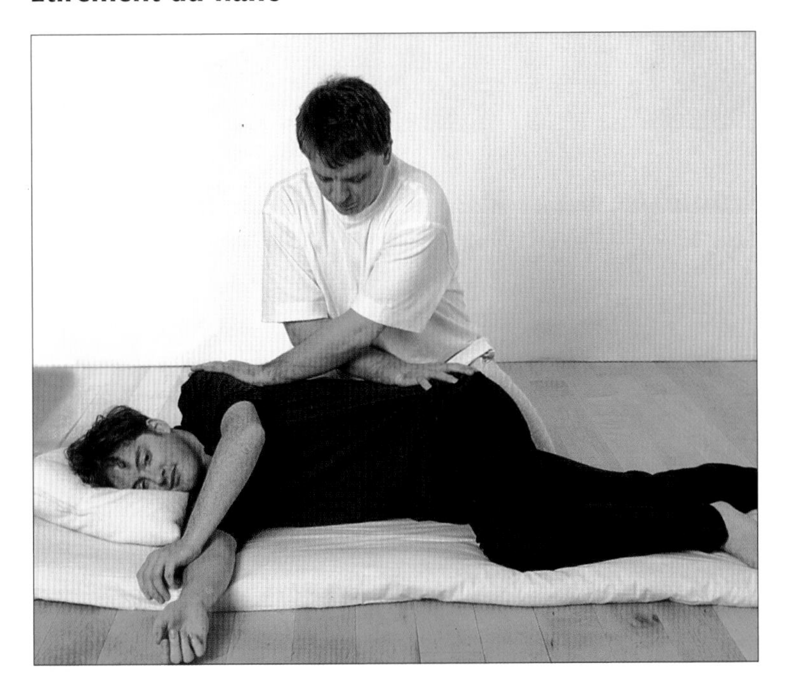

Servez-vous de vos deux mains pour effectuer des étirements le long du flanc du receveur.

Travailler sur le point vésicule biliaire 30

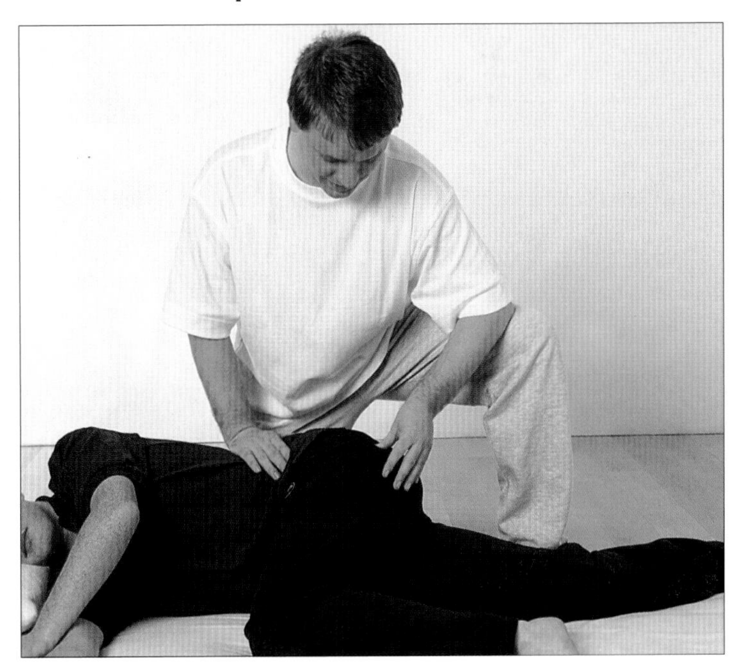

Montez le genou du receveur plus haut pour avoir accès au point vésicule biliaire 30 sur lequel vous pouvez travailler à l'aide de votre pouce. Si vous posez votre coude sur votre genou, le receveur ressentira davantage le mouvement.

Rotation de la hanche

1. Soulevez le genou et tenez-le contre vous.

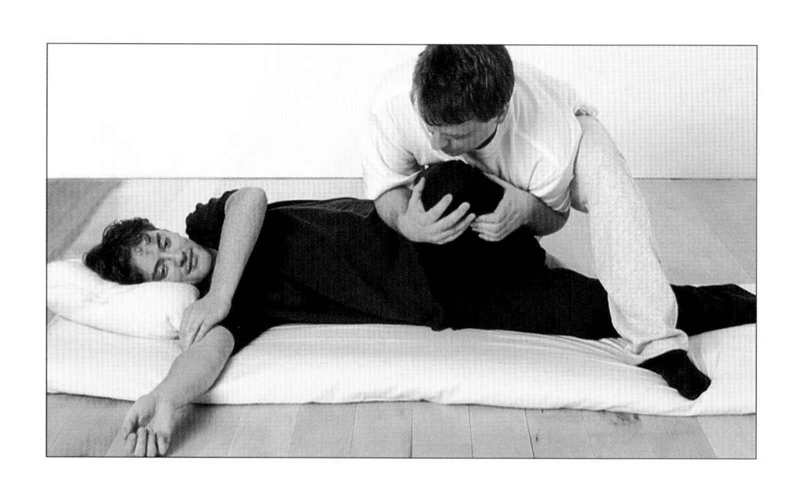

2. Servez-vous du poids de votre corps pour imprimer des rotations à la jambe et faire bouger la hanche.

Travailler sur le reste du méridien

Gardez la jambe fortement repliée car cela permet d'avoir accès au méridien de la vésicule biliaire.

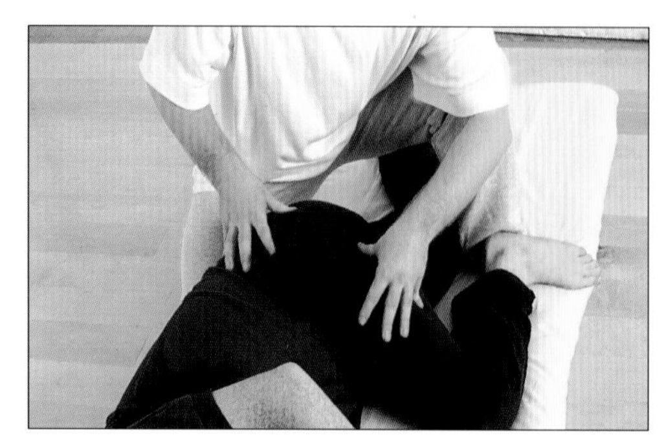

1. Travaillez le méridien sur le côté de la jambe, en commençant par le haut.

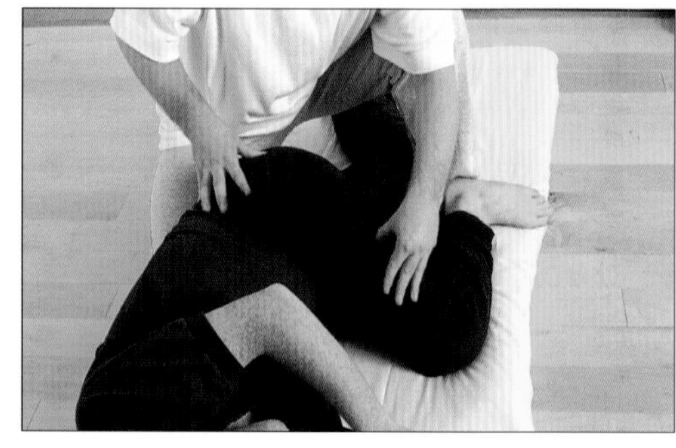

2. Continuez à intervenir sur le méridien tout le long de la jambe.

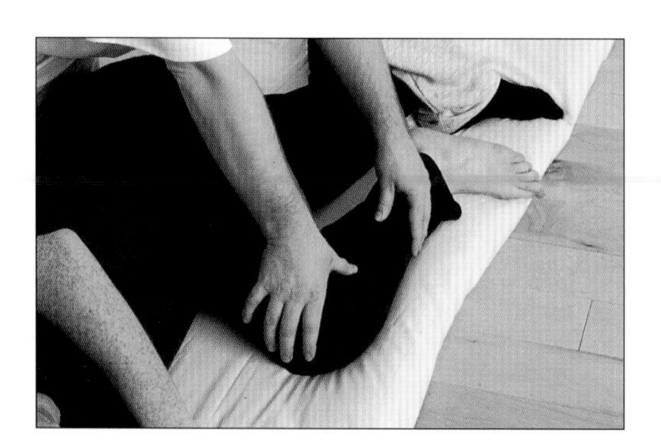

3. Travaillez lentement et avec délicatesse jusqu'à l'extrémité du méridien.

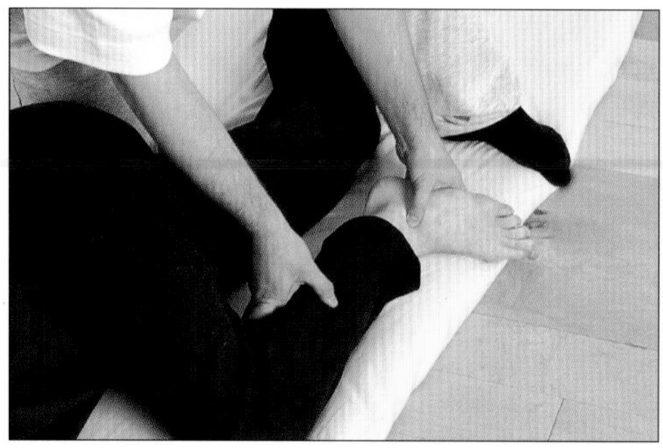

4. Insistez sur le point vésicule biliaire 34 (sous le genou) et, tel qu'illustré, le point vésicule biliaire 40 (sur le pli de la cheville).

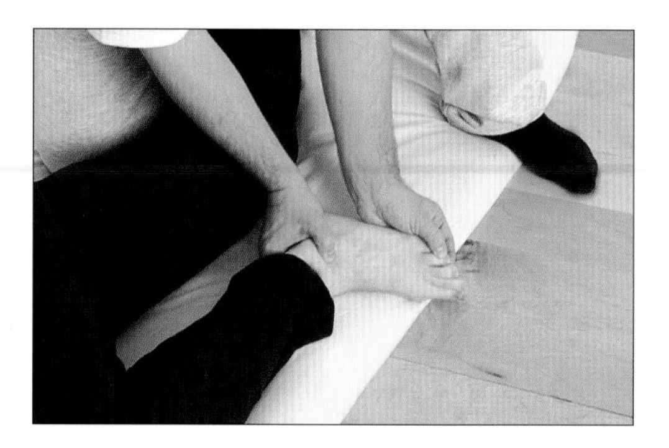

5. Tout aussi important est le point vésicule biliaire 44, à l'extrémité du quatrième orteil.

Travailler sur le méridien du foie

Travaillez sur la partie accessible du méridien du foie située sur l'autre jambe.

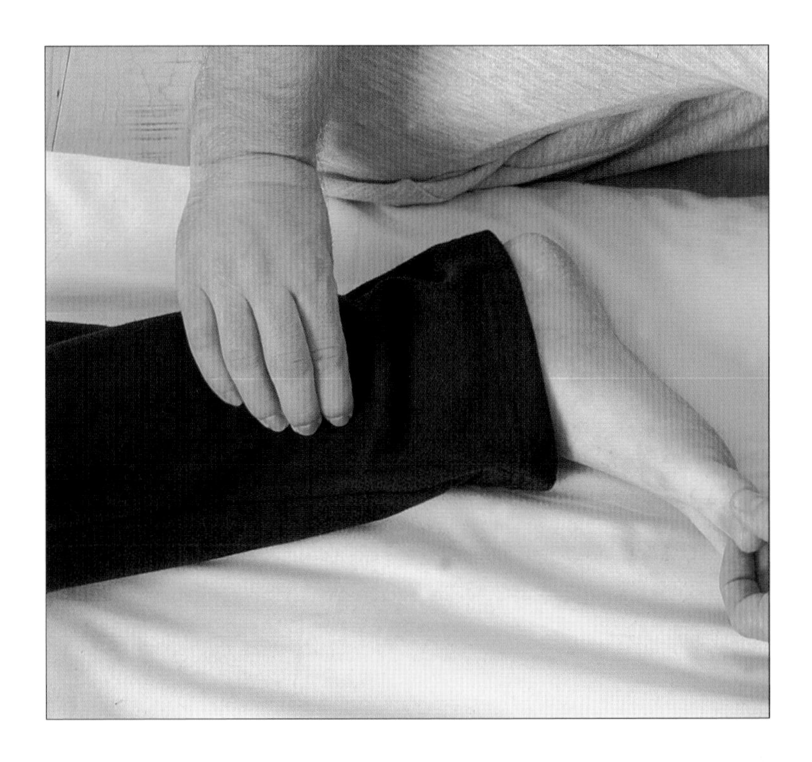

1. Le méridien part du gros orteil.

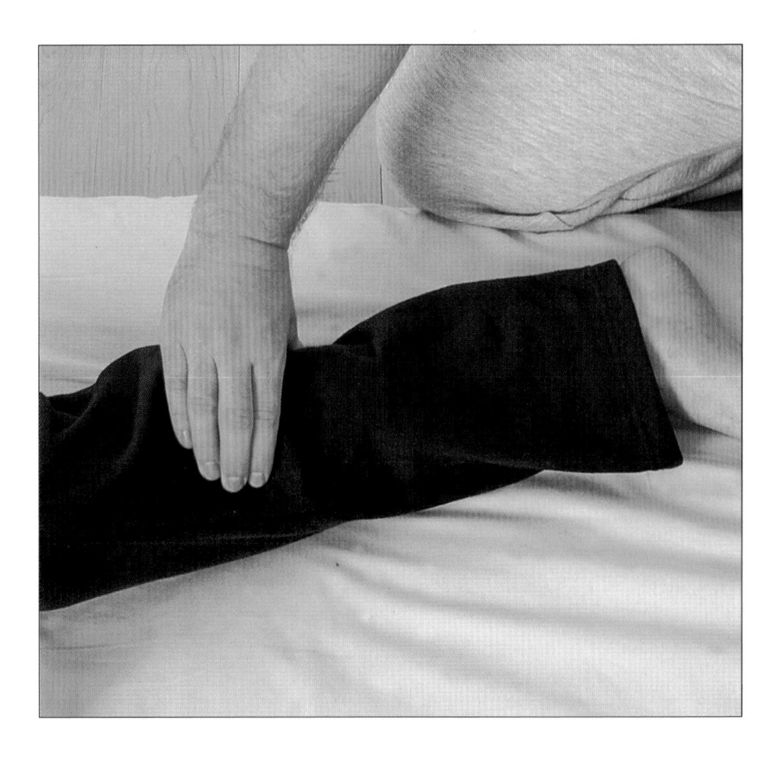

2. Il longe la jambe.

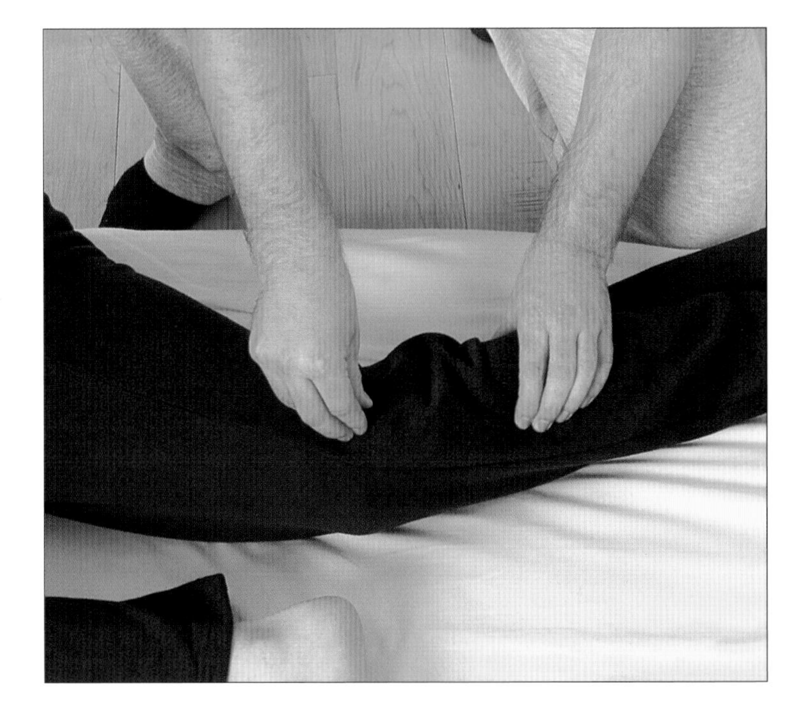

3. Il traverse l'aine. Ne travaillez pas jusqu'à l'aine au cours d'un traitement.

Demandez à votre client de se retourner pour pouvoir travailler sur l'autre côté du corps.

Le receveur est en position assise

Qu'ils l'aient reçu d'un ami ou lors d'une démonstration, un traitement de shiatsu en position assise est bien souvent ce que les gens préfèrent. Le fait qu'un grand nombre de personnes décident de suivre un traitement ou d'apprendre cette discipline après y avoir goûté prouve toute l'efficacité d'un traitement - s'il est bien fait - dans cette position.

Le receveur peut s'asseoir sur une chaise ou par terre. S'il est assis sur une chaise, celle-ci risque d'entraver vos mouvements mais la position sera bien sûr plus confortable pour votre client. Malgré tout, il devrait toujours vous être possible d'effectuer un traitement sur une personne assise. L'enchaînement suivant est simple ; il prend environ quinze minutes.

Pressions de la paume sur le dos

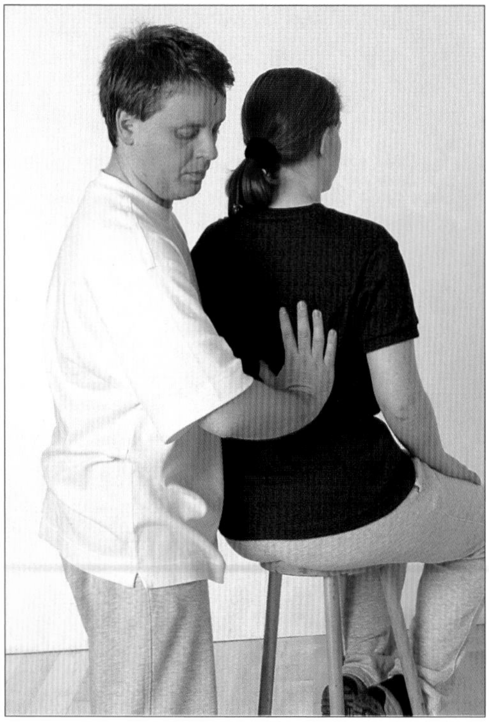

Servez-vous du bord interne de votre paume pour décontracter le dos.

Pressions de la paume sur le méridien de la vessie

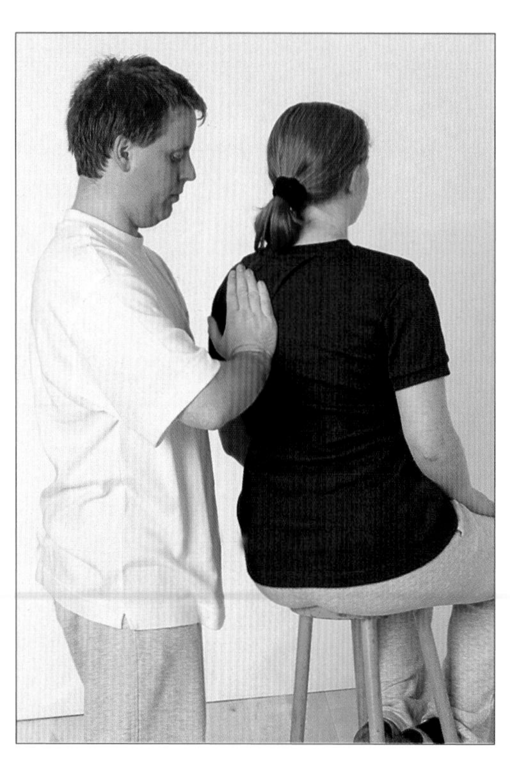

Stimulez le méridien de la vessie en effectuant des pressions de la paume sur tout son trajet.

Pressions du pouce sur le méridien de la vessie

Travaillez les *tsubos* du méridien de la vessie.

Décontracter le cou

Effectuez un massage général du cou pour le détendre.

Rotations du cou

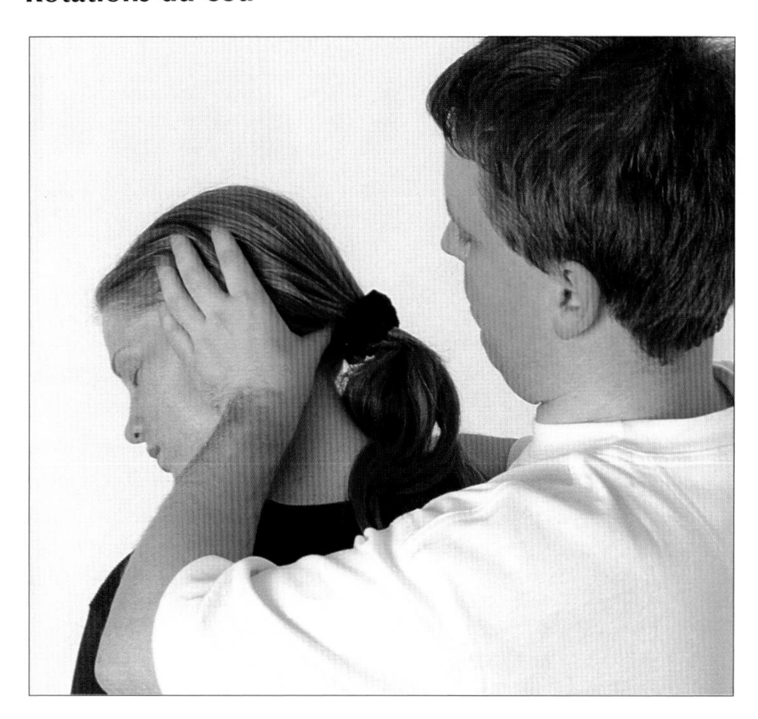

Placez votre doigt et votre pouce sur l'occiput et imprimez au cou une rotation d'un demi-cercle (jamais un cercle complet).

Rotations de l'épaule

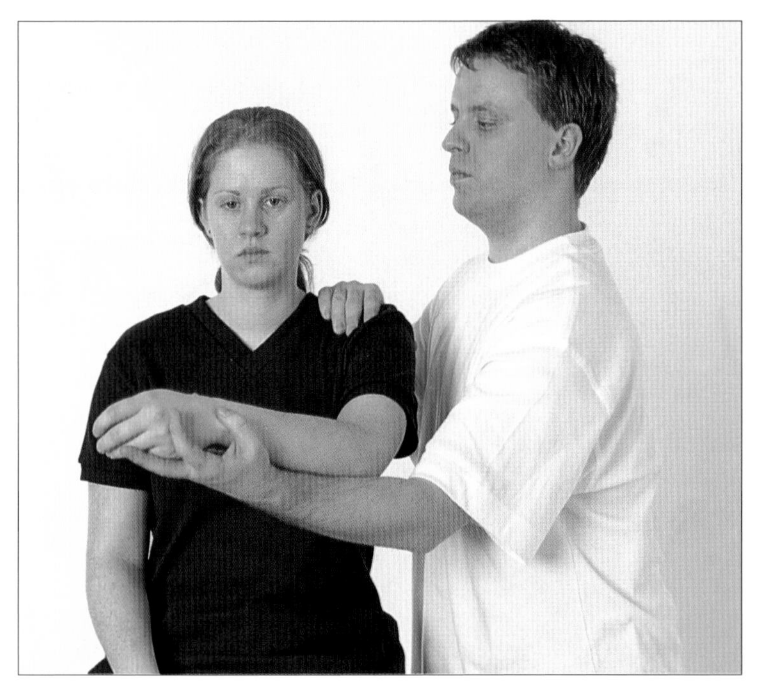

D'une main, immobilisez le torse (profitez-en pour placer autant que possible vos doigts sur des points que vous connaissez) et de l'autre main, imprimez une rotation à l'épaule.

Rotations du bras

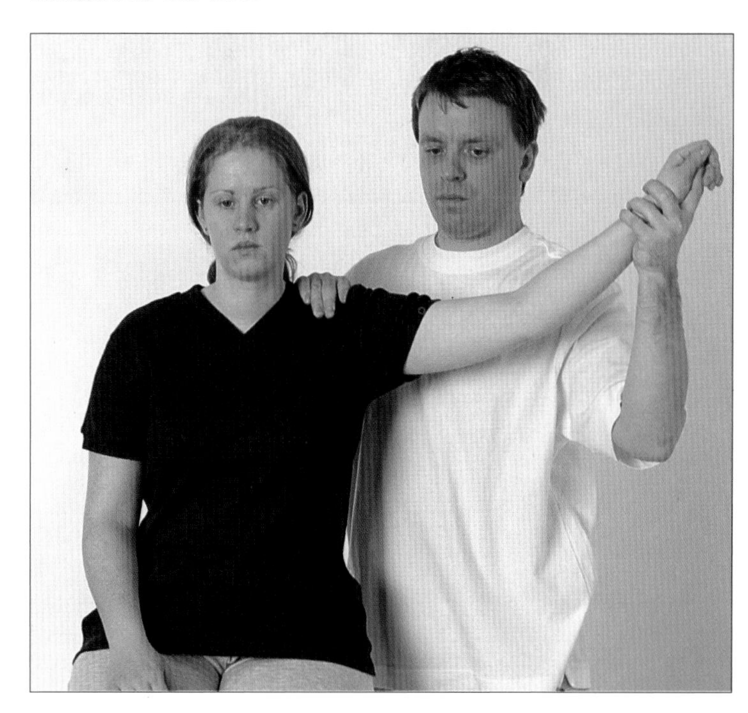

Saisissez l'épaule et le poignet de manière à pouvoir faire tourner le bras dans le sens des aiguilles d'une montre puis en sens inverse.

Massage du bras

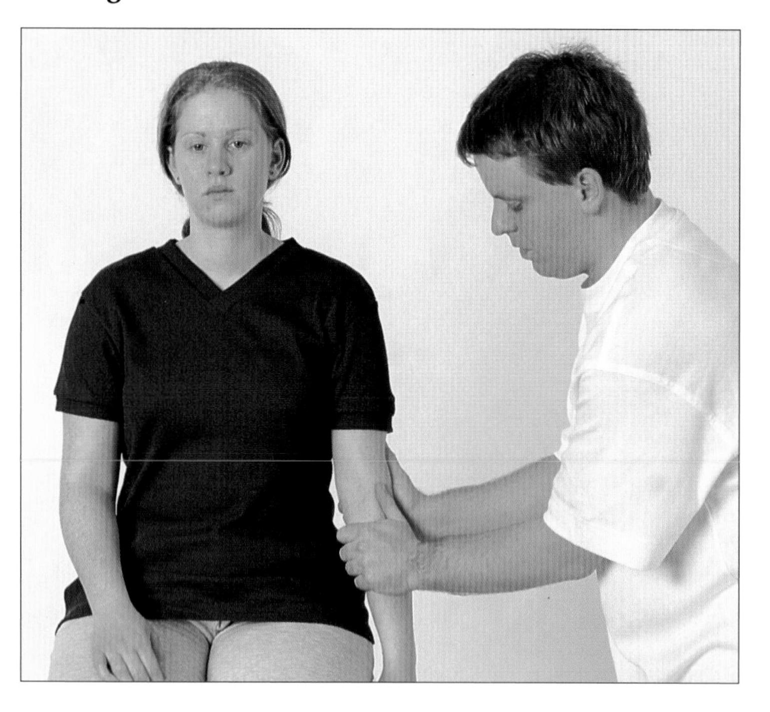

Décontractez délicatement les muscles du bras.

Travailler sur le poignet

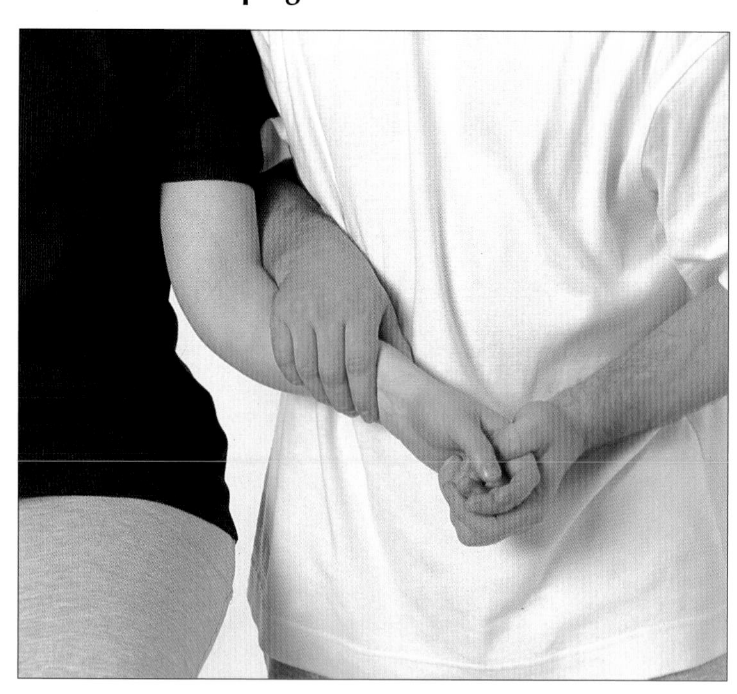

Imprimez des rotations au poignet pour le décontracter.

Décontracter les doigts

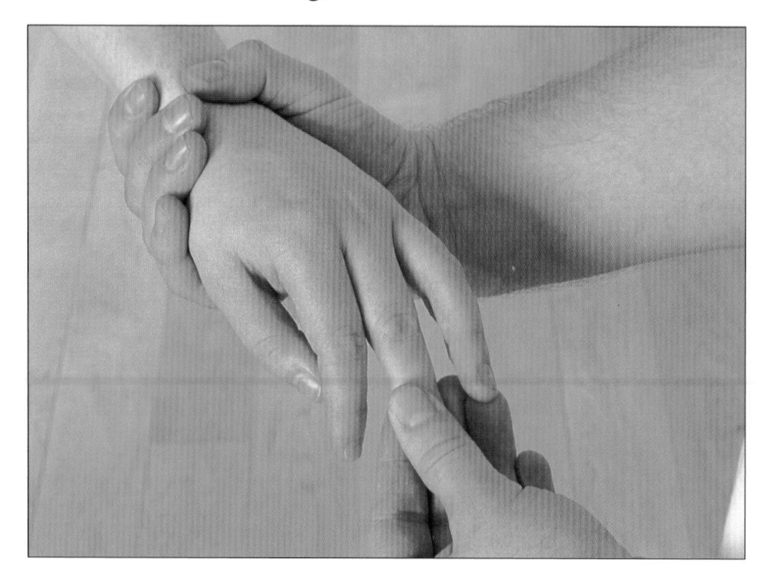

Imprimez des rotations à chacun des doigts et massez-les ainsi que la paume de la main.

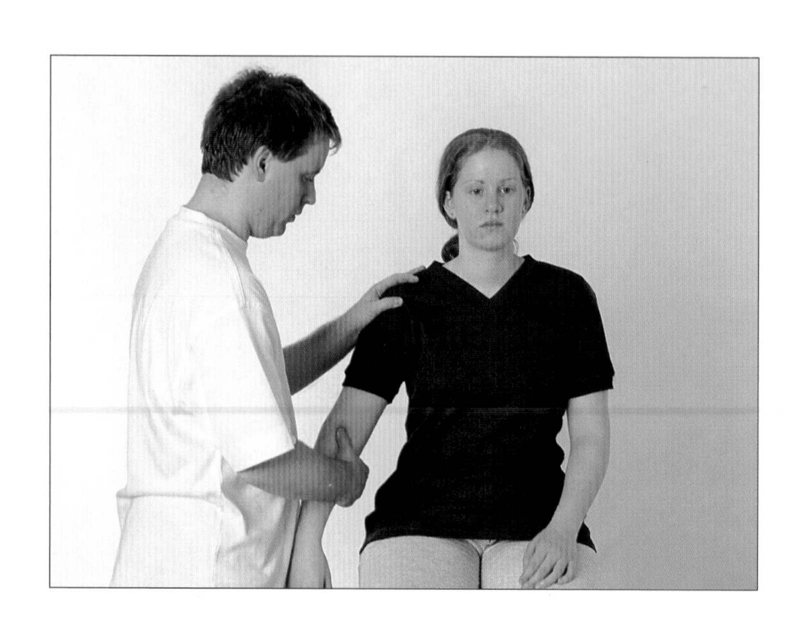

Répétez l'enchaînement sur l'autre bras.

L'auto-shiatsu

Si vous désirez apprendre l'emplacement des méridiens, vous allez devoir vous exercer et la meilleure manière de le faire, c'est sur vous-même. Vous aurez ainsi la chance à la fois d'apprendre et de vous faire du bien.

L'auto-shiatsu s'appelle également « do-in ». Certaines écoles accordent une grande importance au *do-in* dans leur programme. Vous tirerez avantage à mettre au point un enchaînement que vous pouvez pratiquer. Le matin, il vous donnera de l'énergie pour bien commencer la journée et le soir, il vous aidera à vous détendre.

L'enchaînement qui suit inclut toutes les techniques utiles du *do-in* et il peut se pratiquer à n'importe quel moment de la journée. Une fois que vous le connaîtrez bien, il vous prendra environ dix minutes.

Massage du sommet de la tête

Le sommet de la tête est l'endroit où convergent tous les méridiens yin. Massez délicatement ce point par des pressions circulaires effectuées du bout des doigts. Servez-vous du bout de vos doigts pour transmettre à tout votre corps la concentration mentale.

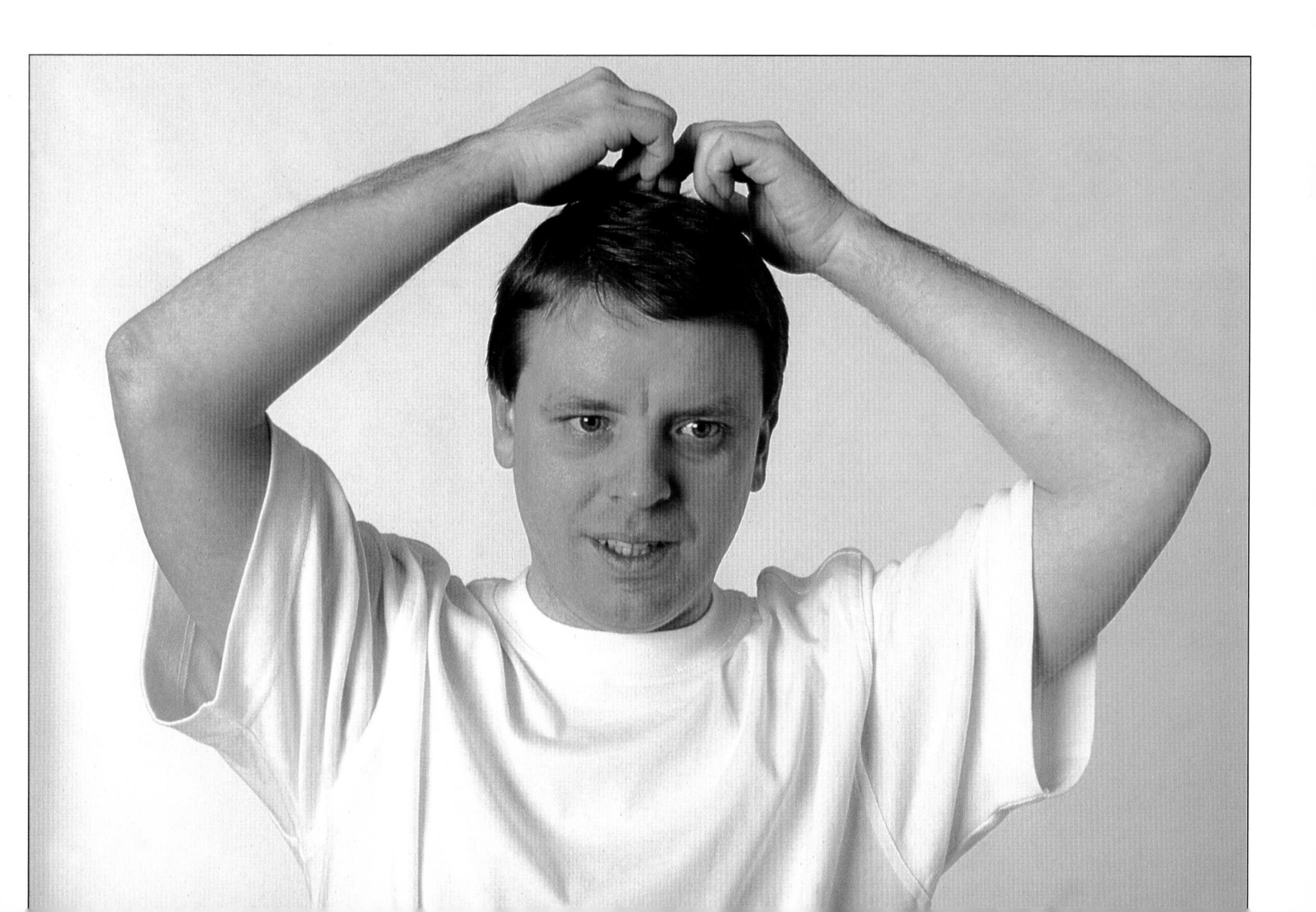

Frictions du visage

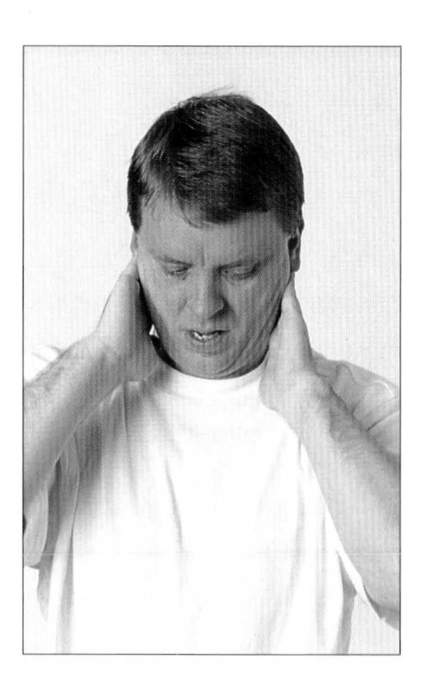

1. Frottez vos mains l'une contre l'autre jusqu'à ce qu'elles se soient réchauffées.

2. Frottez votre visage et votre cuir chevelu comme si vous vous débarbouilliez. Dès que vos mains sont froides, frottez-les de nouveau pour les réchauffer.

3. N'oubliez pas de laver derrière les oreilles !

4. Il y a de nombreux points à proximité de l'oreille.

Tapoter la tête et la nuque

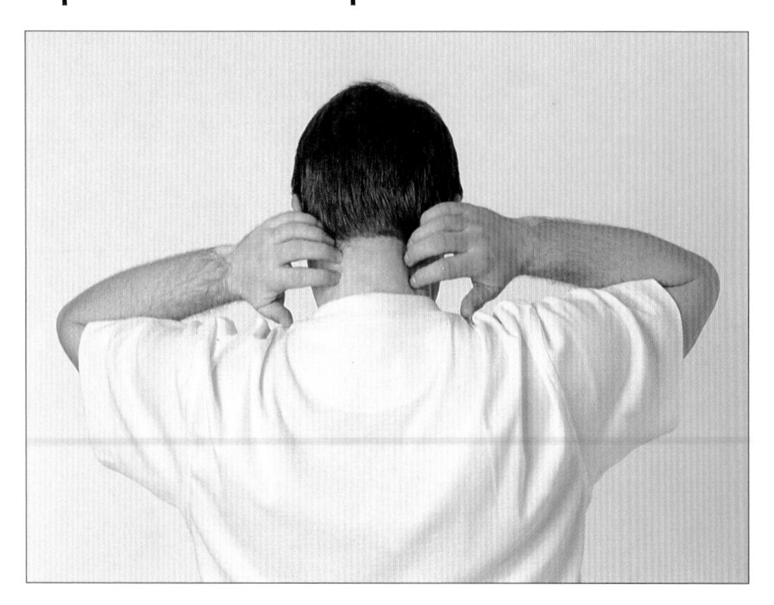

1. Gardez vos doigts décontractés et tapotez votre nuque du bout des doigts.

2. Poursuivez en tapotant de la même manière votre cuir chevelu.

Lisser le front

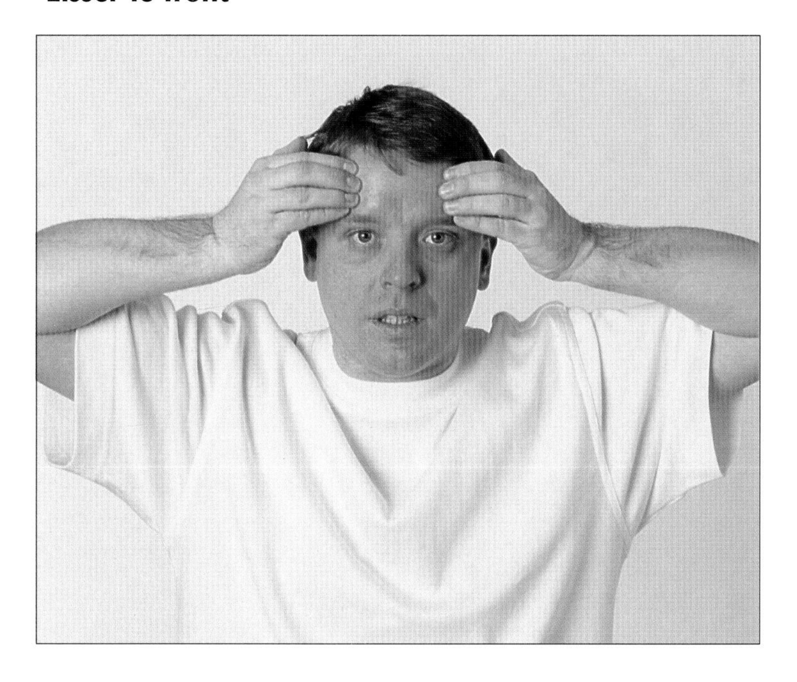

Du bout des doigts, massez votre front.

Lisser la nuque

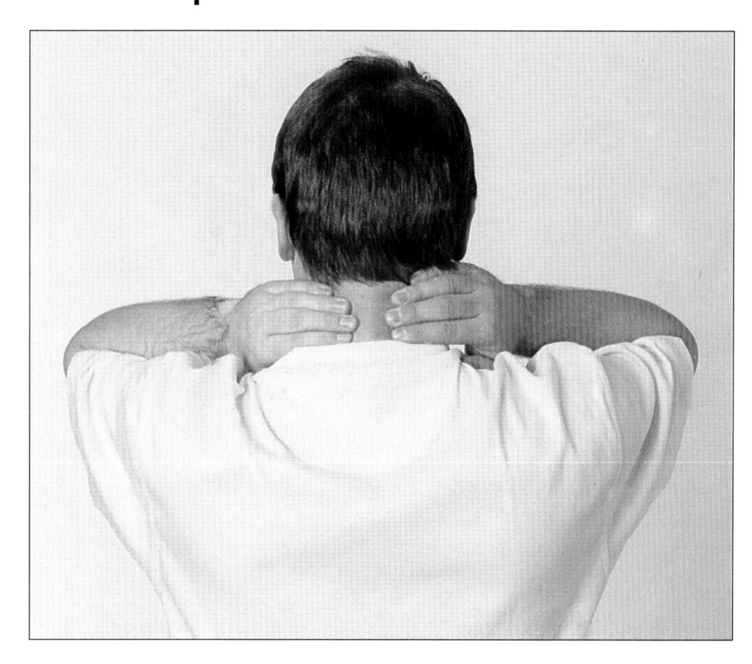

Servez-vous du même mouvement pour masser la nuque.

Rotation du cou

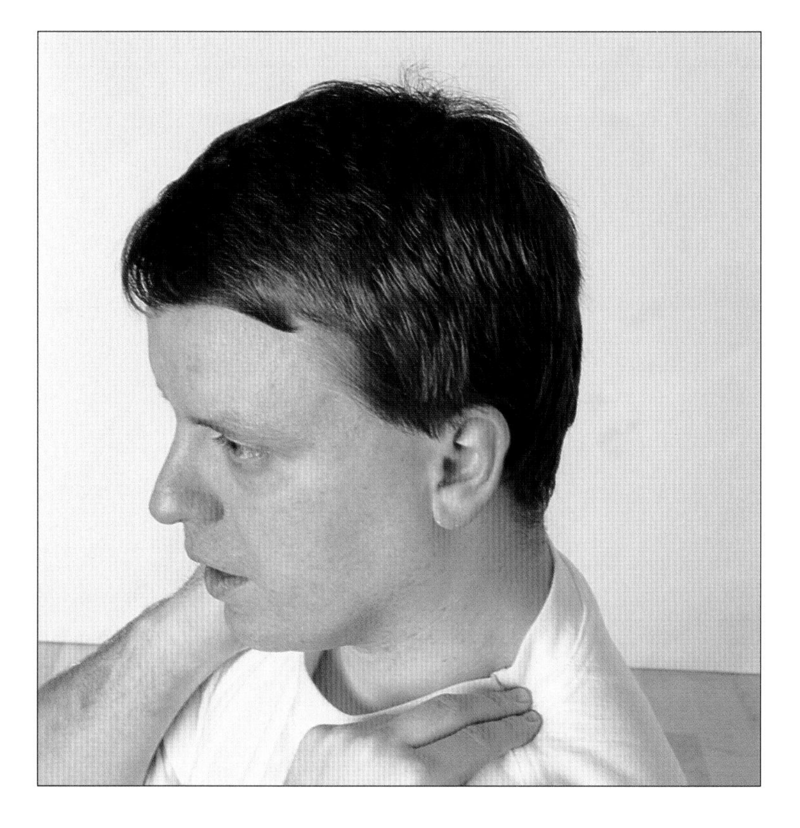

1. Placez vos doigts sur le point vésicule biliaire 21.

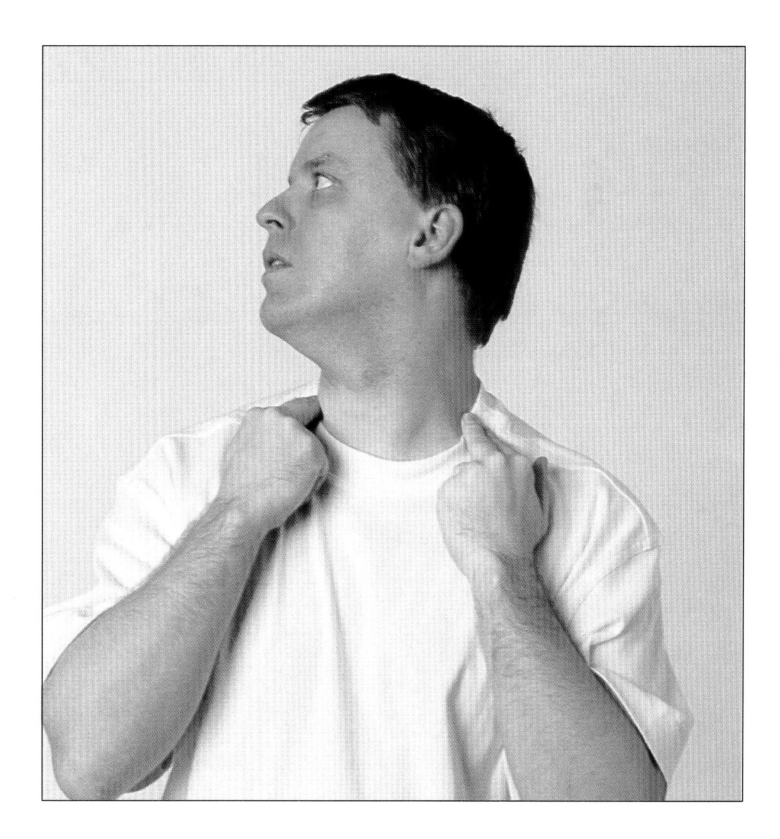

2. Faites tourner en douceur votre cou d'un côté à l'autre.

Tapoter l'épaule

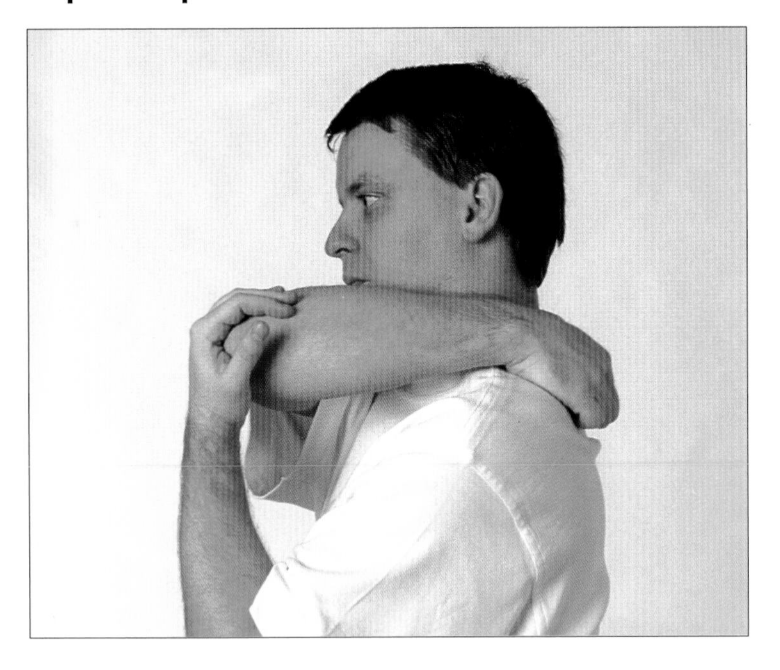

Fermez votre poing sans le serrer trop et tapotez votre épaule et le haut de votre dos. Vous pouvez vous aider en poussant votre coude avec l'autre main.

Tapoter la face interne du bras

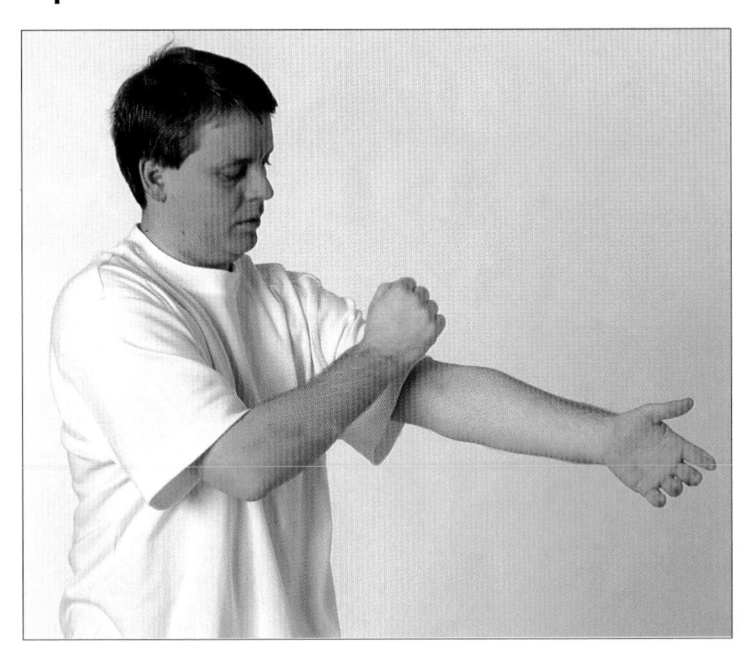

Tapotez votre bras sur toute sa longueur. Essayez de tapoter le long des méridiens des poumons, du péricarde et du cœur.

Tapoter la face externe du bras

Tapotez la face externe de votre bras en suivant les méridiens du gros intestin, du triple réchauffeur et de l'intestin grêle.

Tapoter le torse et l'abdomen

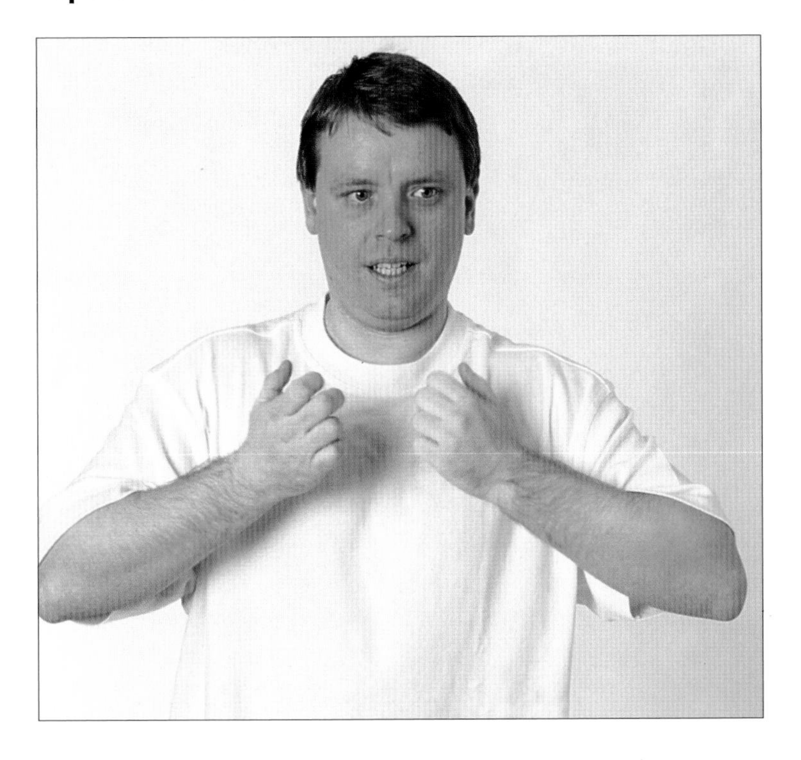

1. Commencez par tapoter doucement votre torse du bout des doigts ou avec un poing pas trop serré.

2. Poursuivez en faisant la même chose sur votre abdomen.

Tapoter le dos

Vous accroîtrez l'amplitude de vos mouvements si vous vous penchez en avant. Portez une attention particulière à votre sacrum et essayez de tapoter le long du méridien de la vessie.

Tapoter les jambes

Tapotez de haut en bas le long des méridiens yang (vessie, estomac et vésicule biliaire) et de bas en haut le long des méridiens yin (reins, rate et foie).

Massage du *hara*

Massez à partir du nombril et dans le sens des aiguilles d'une montre en mouvements circulaires de plus en plus grands.

Massage des chevilles, des pieds et des orteils

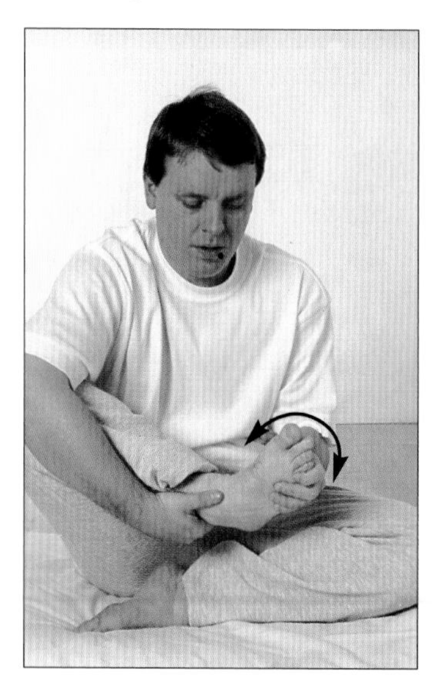

1. Asseyez-vous et imprimez un mouvement rotatif à vos chevilles.

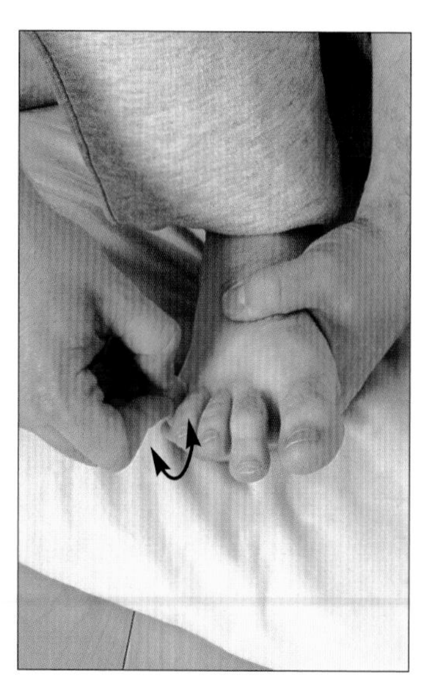

2. Imprimez ensuite le même mouvement à chacun de vos orteils.

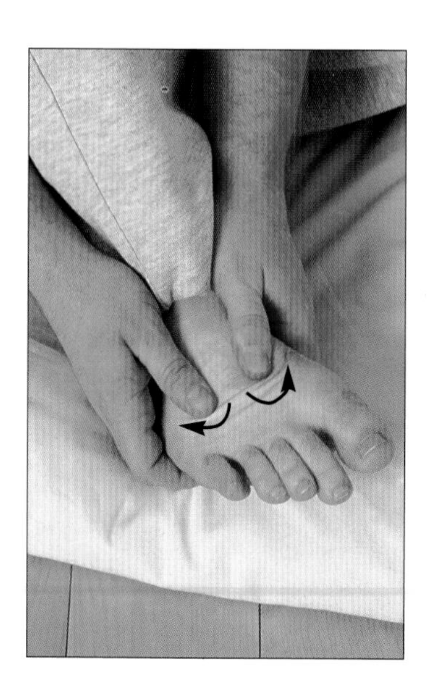

3. Effectuez un massage général pour décontracter vos pieds.

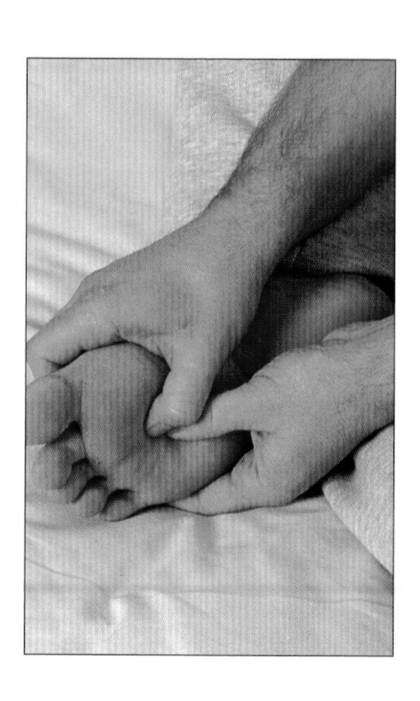

4. Terminez en massant le point de départ du méridien des reins situé au milieu de la plante du pied.

Applications courantes

La liste qui suit n'est pas exhaustive ; elle ne décrit que quelques applications courantes du shiatsu. Pour chaque cas, il vous serait possible d'avoir recours à un traitement totalement différent et d'obtenir tout de même un résultat satisfaisant. La meilleure approche consiste à rester à l'écoute de la personne que vous soignez.

Si vous avez déjà traité ce genre de malaise, vous pouvez garder en tête votre expérience passée tout en restant attentif au déroulement du présent traitement.

Les brûlures d'estomac

L'hyperacidité gastrique est une conséquence courante du stress. Travaillez sur les méridiens terre situés au niveau des pieds afin d'attirer l'énergie vers le bas du corps. Un shiatsu du *hara* peut aussi s'avérer bénéfique. Sur la photo, le praticien touche les points estomac 42 et 45.

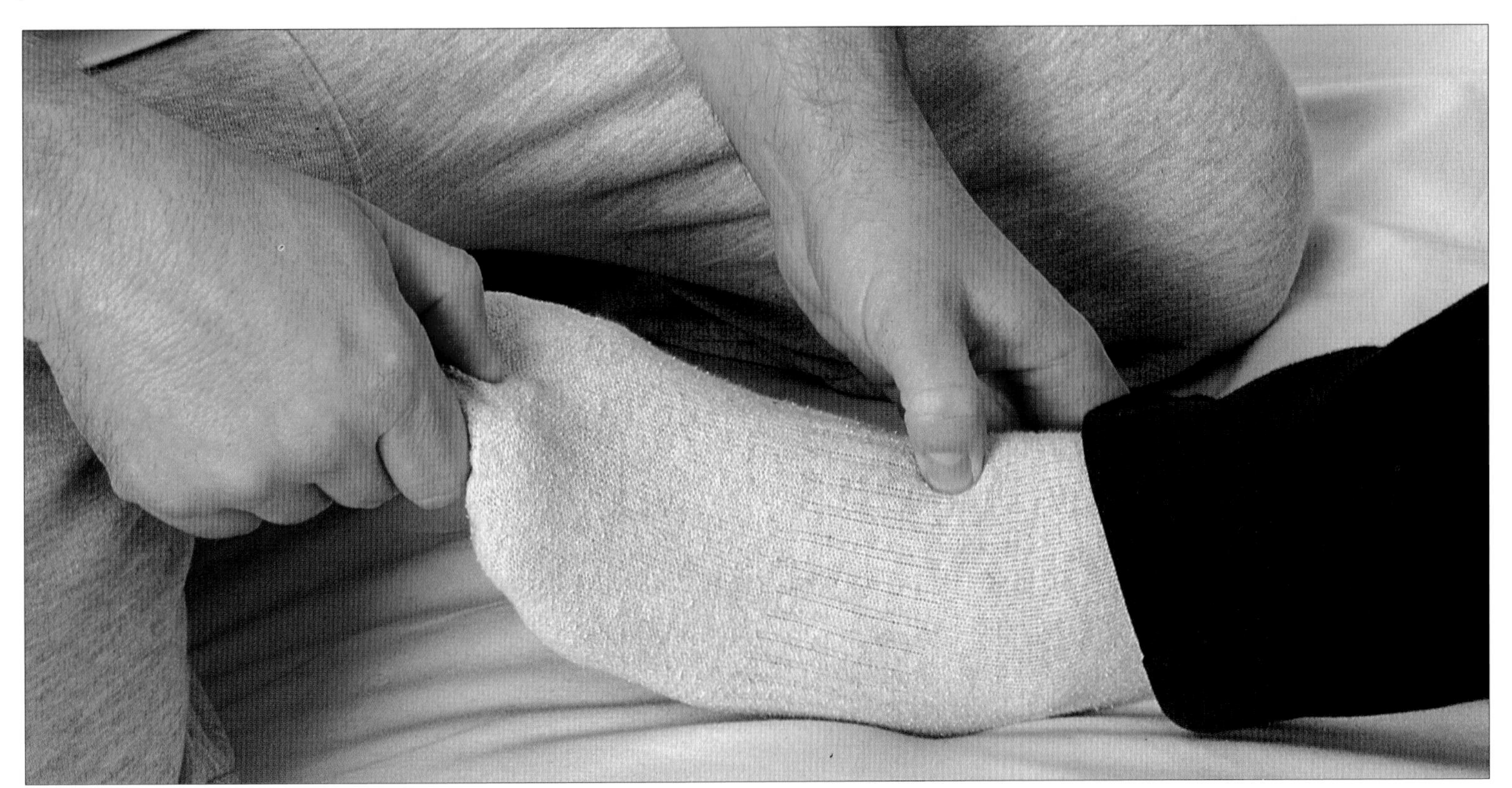

Les allergies

Les allergies indiquent parfois une faiblesse du système immunitaire. Travaillez sur les poumons, la rate et les reins pour le renforcer. Le point gros intestin 20 est utile pour réduire les éternuements. C'est un geste que chacun peut pratiquer sur soi-même pour se soulager.

L'angine de poitrine

Servez-vous de n'importe quel méridien de l'énergie feu. Sur la photo, le praticien exerce une pression sur les points péricarde 6 et 8.

L'anxiété

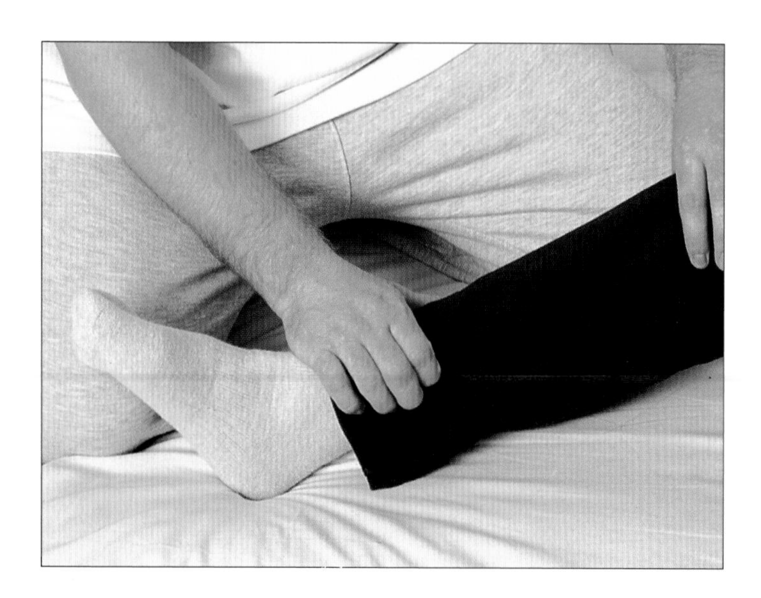

L'inquiétude et l'angoisse sont des exemples typiques d'une déficience du *ki* de la terre. L'énergie eau prend le dessus, ce qui cause de la peur et des phobies. Le thérapeute presse les points rate 6 et 9, ce dernier étant un point eau.

L'asthme

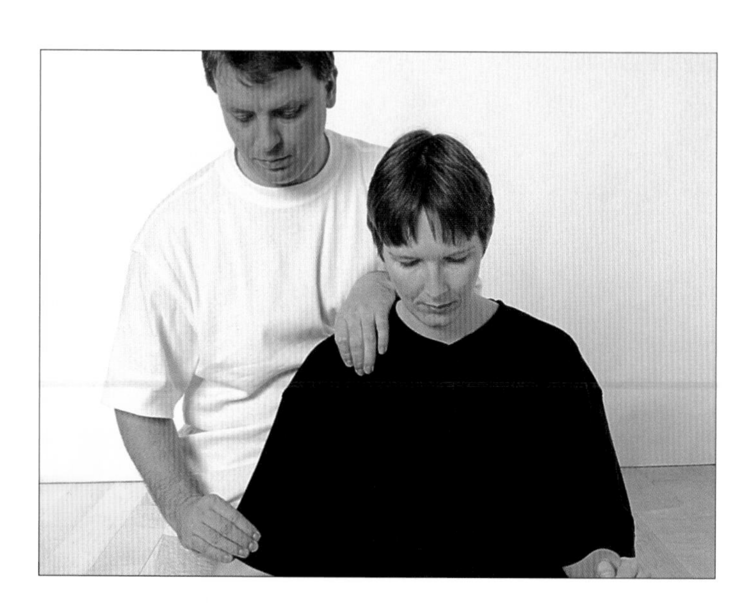

L'asthme est causé par une faiblesse des poumons et des reins ; il est conseillé alors de travailler sur les éléments métal et eau. Le thérapeute travaille ici sur le méridien des poumons. Si l'esprit a besoin d'être apaisé, essayez le méridien du cœur.

Les crampes

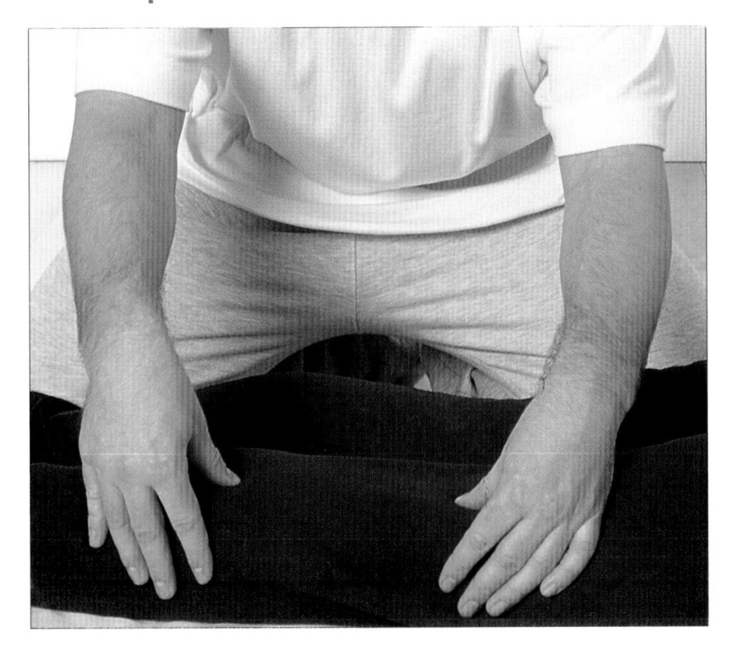

Travaillez sur le méridien de la vessie derrière et sous le genou. Les étirements sont importants pour soulager les crampes.

La constipation

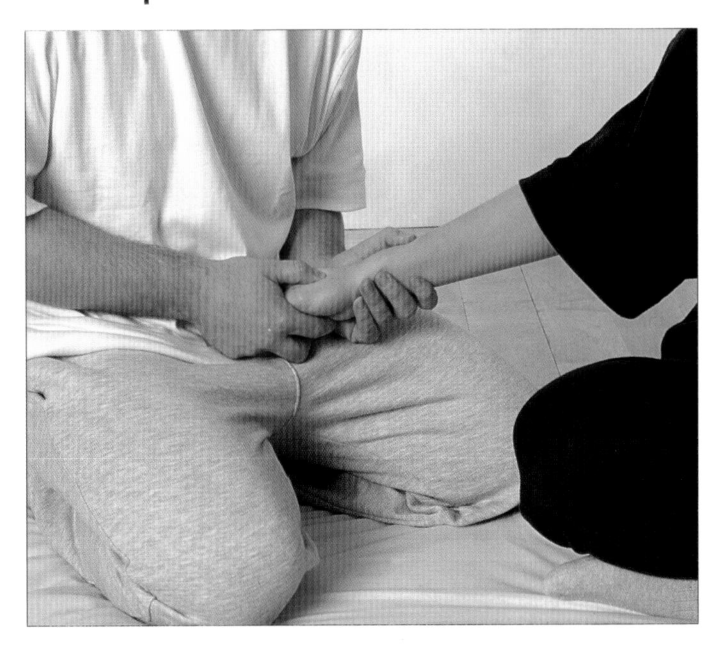

Le travail sur le *hara* s'avère utile pour disperser l'énergie bloquée. Vous pouvez commencer par un bercement prononcé. Travaillez sur le méridien du gros intestin, le point 4 par exemple, tel qu'illustré.

La diarrhée

1. Traitez les méridiens de la vessie et des reins en portant une attention particulière au point diagnostique du gros intestin situé sur le méridien de la vessie, soit le point vessie 25.

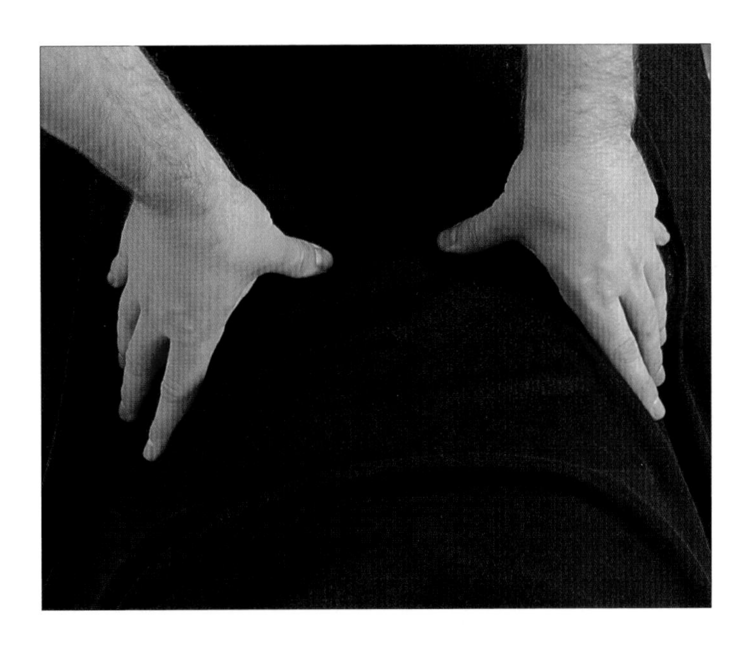

2. Le point vessie 25 se situe au sommet du sacrum. Essayez de régulariser les selles en intervenant sur le méridien du gros intestin.

Le mal d'oreilles

Traitez n'importe quel point situé à proximité de l'oreille. Portez une attention particulière au méridien de la vésicule biliaire car c'est l'élément bois qui gouverne l'oreille.

La sciatique

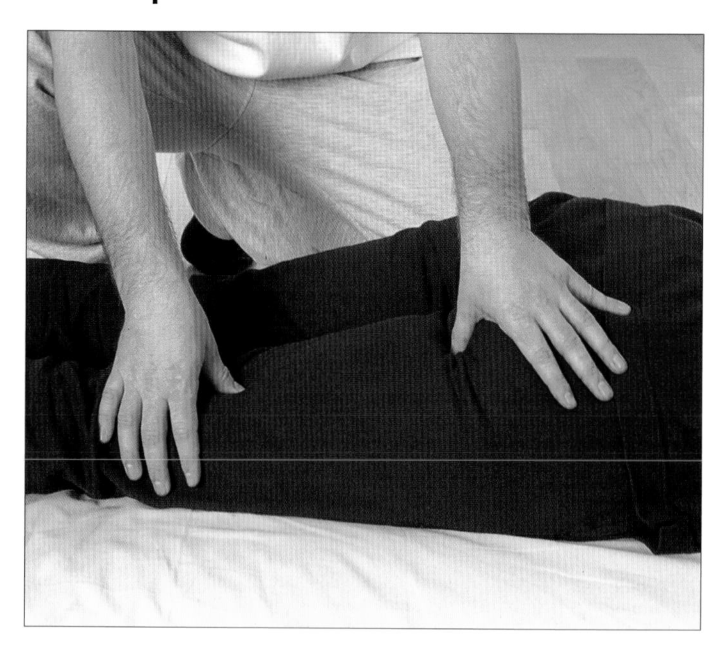

Un traitement en douceur le long du méridien de la vessie s'avère en général bénéfique.

L'épaule bloquée

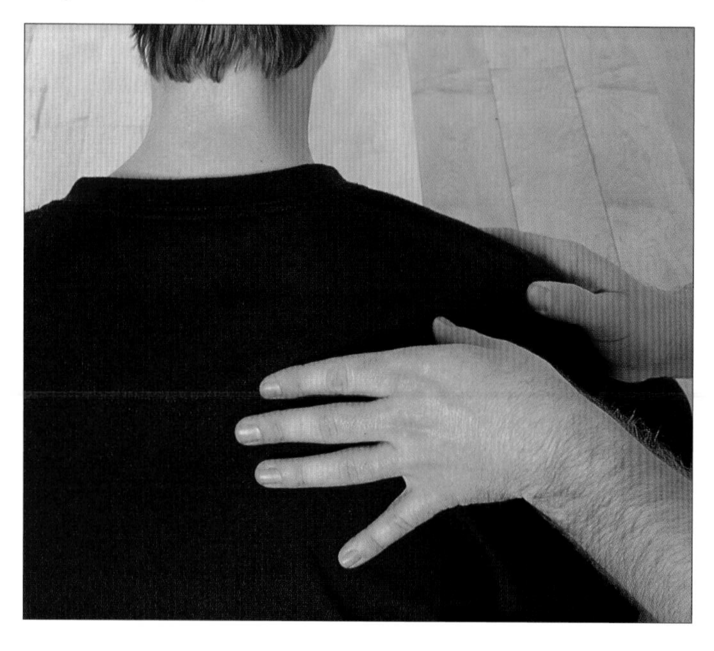

1. Travaillez sur les points situés sur l'épaule ou à proximité d'elle pour déceler toute déficience. Ici, le praticien travaille sur les points intestin grêle 10 et 11.

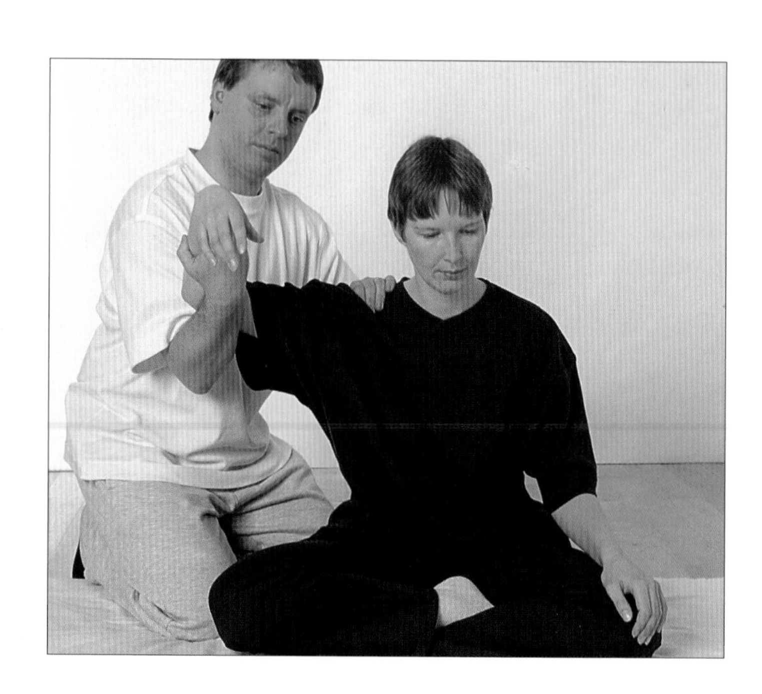

2. Des techniques de mobilisation peuvent s'avérer utiles.

Quelques précautions à prendre

On peut avoir recours au shiatsu pour soigner une vaste gamme de malaises et d'affections. Il est quelques circonstances, cependant, où vous ne devriez pas tenter de traitement ou encore où vous devriez orienter votre client vers un expert en la matière. Comme débutant, il est déconseillé de soigner des maladies potentiellement mortelles telles que troubles cardiaques ou cancer.

Ne traitez jamais une personne qui est atteinte d'une maladie très contagieuse ou qui présente de la fièvre. Dans les cas de brûlure, de fracture, de coupure, de plaie ouverte ou de varice, il est préférable d'éviter la zone de la blessure ; en y touchant, vous risquez de l'aggraver. Ne travaillez pas sur le *hara* chez les femmes qui portent un stérilet car cela pourrait leur occasionner des malaises.

Le shiatsu peut s'avérer très utile pour les femmes enceintes. Comme débutant, il y a peu de risque que vous causiez du tort à la mère ou au fœtus.

Il existe néanmoins quelques points que l'on ne doit pas utiliser durant la grossesse. Ce sont les suivants :

Gros intestin 4

Rate 1 et 6

Vésicule biliaire 21

Foie 3

Vessie 60 et 67

Reins 3

Si vous soignez une femme enceinte, révisez rapidement tous ces points avant de commencer.

Remarques complémentaires

Le shiatsu n'est pas une science indépendante. Il est issu de nombreuses et riches sources de connaissances dont certaines sont encore mises en pratique de nos jours.

L'acupuncture est en quelque sorte une sœur du shiatsu. Cette discipline fait appel aux mêmes méridiens et aux mêmes points que le shiatsu, à la différence que le thérapeute se sert d'aiguilles au lieu de ses pouces et que le traitement se fait à même la peau.

Certains acupuncteurs utilisent des ventouses. Ce sont des cloches de verre dans lesquelles on place une flamme pour en retirer l'air. La ventouse est ensuite posée sur des points particuliers et le vide provoqué à l'intérieur de la cloche attire le *ki* à la surface de la peau.

Les acupuncteurs de même que les praticiens de shiatsu ont parfois recours à la moxibustion. Cette technique consiste à faire brûler l'extrémité d'un moxa (qui ressemble à un cigare) et de le placer près de certains points dans le but de réchauffer l'organisme.

Dans bien des cas, les thérapeutes enseignent à leurs clients des notions de *chi gung* afin de favoriser leur auto-guérison. Certains praticiens se servent eux-mêmes du *chi gung* pour appliquer des traitements qui agissent grâce au champ énergétique présent dans l'organisme.

Les arts martiaux et la méditation sont souvent utilisés à la fois par les thérapeutes et par leurs clients. Le karaté est lui aussi originaire du Japon et certains maîtres de karaté enseignent en outre le shiatsu. Le taï chi constitue un complément idéal du shiatsu puisqu'il permet une meilleure compréhension de l'énergie et enseigne comment agir à partir de son *hara.*

Le shiatsu évolue selon les époques et les lieux. Si vous receviez un traitement au Japon, vous ne ressentiriez pas la même chose que lors d'une séance en Occident. Il n'y a toutefois là rien d'anormal. Cela veut simplement dire que le thérapeute a exploité son énergie d'une manière différente en se basant sur une physiologie quelque peu distincte.

Le contact

L'un des principes fondamentaux du shiatsu consiste à apprendre comment établir un contact. La perte de contact avec soi-même ou avec les autres est source de souffrance. Imaginez-vous être totalement isolé pendant un certain temps et vous n'en douterez pas.

Inversement, vous pouvez vous imaginer en train de faire souffrir une personne avec qui vous avez une relation authentique. Se sentir en contact avec les autres vous aide à créer un lien d'empathie.

Pour être capable de rester en relation avec les autres, il faut d'abord garder le contact avec soi-même. En général, un toxicomane se soucie assez peu du mal qu'il fait aux autres. Avant de le juger, cependant, vous pourriez réfléchir à tout ce que vous faites et qui vous porte préjudice. Si vous roulez trop vite pour vous rendre au travail, vous risquez non seulement de vous blesser mais de blesser les autres aussi.

Une personne violente ne pense pas à la souffrance qu'elle inflige à quelqu'un d'autre. Un expert en arts martiaux ne se servira jamais de son adresse à moins qu'il ne se retrouve dans une situation extrême. Contrairement à la personne violente, il a été entraîné à respecter les autres et lui-même.

L'un des plus grands problèmes actuels, c'est que nous sommes en train de détruire la planète sur laquelle nous vivons. Pollution et saccage constituent des actes de violence infligés à la Terre plutôt qu'à un individu. La compagnie qui rejette des produits chimiques dangereux dans une rivière a oublié que nous avons besoin de la Terre pour vivre. En détruisant l'environnement, nous détruisons une partie de notre propre vie et de celle de nos descendants.

De ce point de vue, le shiatsu nous aide à garder le contact avec nous-mêmes, avec les autres et avec l'univers dans son ensemble. Le fait même que le toucher soit l'élément central de cette discipline le prouve indéniablement. Même les détracteurs les plus cyniques qui doutent des bienfaits du shiatsu n'auraient rien à y redire. On peut donc voir le shiatsu comme une façon d'améliorer nos liens avec nous-mêmes, avec les autres et avec le monde dans lequel nous vivons.

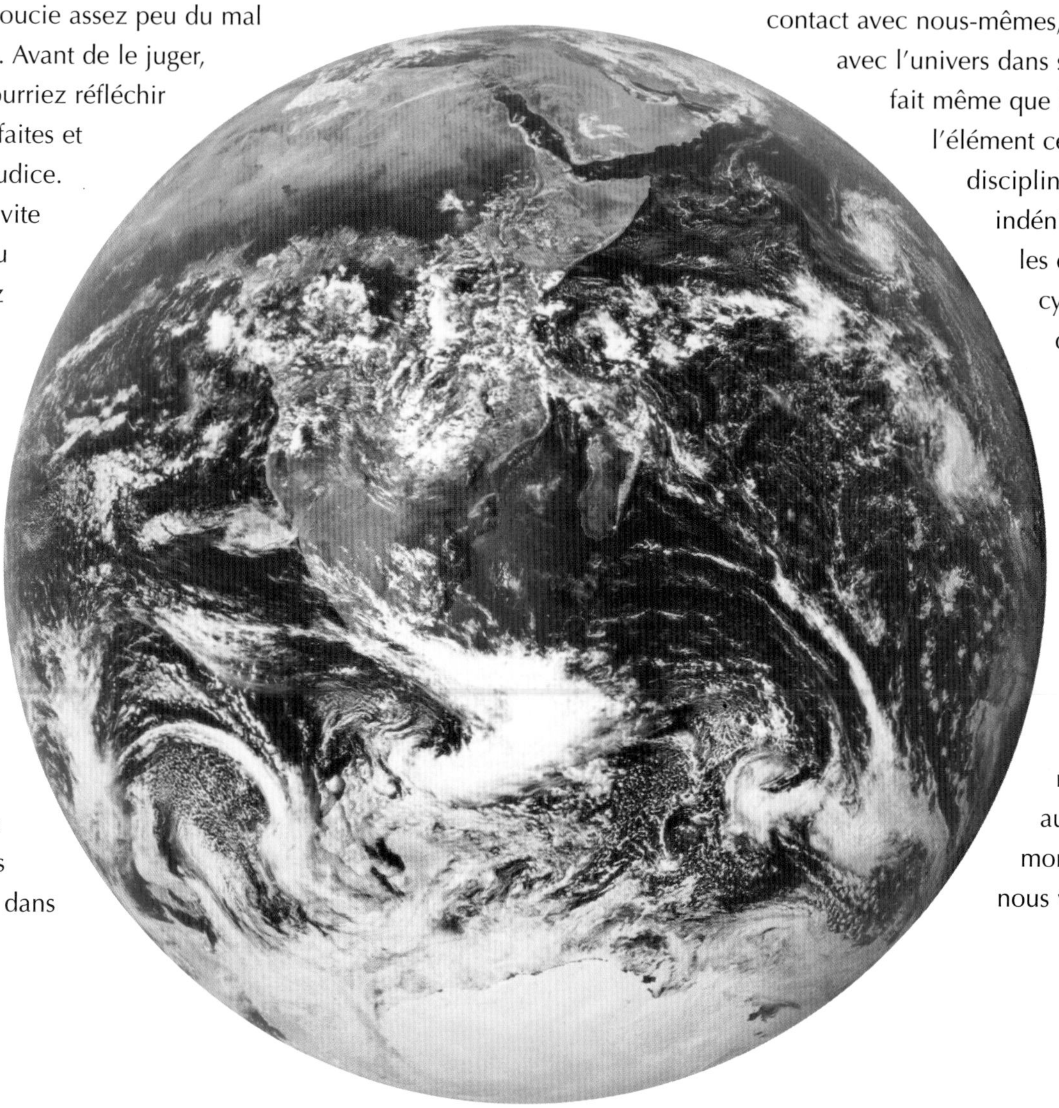

Glossaire

Acupuncture : thérapeutique dans laquelle on se sert d'aiguilles pour piquer la peau en certains points qui agissent sur une autre partie du corps.

Anma : système dont est dérivé le shiatsu, qui avait recours aux canaux énergétiques ou méridiens.

Cinq éléments : système fondé sur l'observation de la nature et de ses cycles.

Cun (prononcer « sone ») : unité de mesure de distance utilisée en shiatsu.

Cycle ko : cycle de domination ou de destruction.

Cycle shen : cycle d'engendrement ou de création.

Dix mille choses : expression taoïste utilisée pour désigner les nombreux éléments qui constituent l'univers (on a cru à une certaine époque que 10 000 était un nombre considérable).

Do-in : shiatsu pratiqué sur soi-même.

Énergie : dans le présent contexte, la force vitale fondamentale de la nature.

Étirements Makkaho : série d'exercices destinés à étirer des paires de méridiens.

Hara : réservoir principal d'énergie situé dans le bas-ventre.

Jing : la force vitale.

Karaté : art martial japonais qui fait appel à des mouvements rapides élaborés à partir du *hara*.

Ki : terme japonais désignant l'« énergie » (*chi* en chinois).

Kyo-jitsu : « vide et plein », qualités énergétiques d'un *tsubo*.

Macrocosmique : le très grand.

Méridien : nom donné au canal dans lequel circule l'énergie.

Microcosmique : le très petit.

Moxa : herbe (armoise) que l'on brûle pour réchauffer l'organisme.

Qi gong ou chi gung : exercices conçus spécialement pour travailler avec le système énergétique de l'organisme.

Sacrum : os situé à l'extrémité inférieure de la colonne vertébrale.

Shen : le conscient.

Shiatsu : thérapeutique fondée sur le toucher ainsi que sur les techniques et les philosophies orientales.

Shiatsu macrobiotique : style de shiatsu qui préconise un régime alimentaire spécial.

Taï chi : art martial chinois fondé sur l'autodéfense, la santé et la philosophie.

Tan tien : point énergétique situé au centre du *hara*.

Tao : l'Innommable ! Philosophie qui observe la nature et ses rythmes.

Tsubo : point que l'on peut utiliser pour agir sur l'énergie présente dans un méridien.

Yang : l'opposé du yin ; la partie mâle (expansion) d'un cycle.

Yin : l'opposé du yang ; la partie femelle (réception) d'un cycle.

Zen shiatsu : style de shiatsu qui fait appel à un système élargi de méridiens.

Index

A
acupression 16
acupuncture 7, 9, 16, 48, 123, 125
ailes du moulin 73
Allemagne 12
allergies 120
analyse 6
anatomie 26-35
ancrage 80
angine de poitrine 120
Angleterre 12
anma 9, 125
anxiété 120
arts martiaux 12, 65, 123, 124, 125
asthme 120
astrologie 17
atomes 14
auras 81
auto-shiatsu 113-118

B
balancement des bras 74
bercement 92, 121
bois 17, 19, 24, 25, 30, 35, 36, 45, 47, 69, 76, 104, 107, 122
    personnalité 38, 46, 47
brûlures d'estomac 119

C
champs morphogénétiques 12
chi 12, 125
chi gung 58, 123, 125
Chine 9, 12, 17, 27, 30
cinq éléments *voir aussi* chaque élément 67, 69, 125
    personnalités 36-47
    tableau récapitulatif 47
    test 43
    théorie 9, 17-25
concentration mentale 70
conscient *voir* shen
constipation 121
contact 124
cun 10, 11, 125
cycle
    de domination (*ko*) 25, 125
    d'engendrement (*shen*) 24, 125

D
décontracter 111-112
définition 7
diagnostic 6, 65-69
diarrhée 121
« dix mille choses » 14, 125
do-in 113, 125

E
eau 17, 18, 23, 24, 25, 30, 34, 36, 44, 45, 47, 69, 76, 92, 120
    personnalité 37, 46, 47
écartement 105
Einstein 7
énergie *voir* ki
épaule bloquée 122
étirement(s) 83-84, 121
    bois 79
    de « l'aile de poulet » 106
    de la jambe 95, 98
    du bras 105
    du flanc 107
    du jarret 75
    eau 78
    en croix 91
    feu 78
    feu secondaire 79
    latéraux 92
    Makkaho 76, 125
    métal 77
    terre 77

F
feu 17, 20, 24, 25, 30, 31, 36, 44, 45, 47, 69, 76, 120
    personnalité 39, 42, 44, 47
    secondaire 31
force vitale *voir* jing
frictions
    du dos 93
    du sacrum 93
    du visage 114

G
Grèce 12

H
hara 65, 69 70, 85, 86, 88, 98, 99, 101, 102, 104, 118, 119, 121, 123, 125
    méditation 80
    respiration 80, 81
Hawking, Stephen 7
Hippocrate 12

I
Inde 12

J
Japon 7, 9, 12, 65, 123
jing 13, 125

K
karaté 88, 123, 125
ki 7, 8, 12-13, 14, 30, 32, 34, 33, 35, 45, 46, 48, 50, 51, 55, 60, 64, 68, 69, 82, 120, 123, 125
Kushi, Michio 9
kyo-jitsu 9, 125

L
lisser 115

M
mal d'oreilles 122
mana 12
massage 100, 112, 113, 118
Masunaga, Shizuto 9
méridiens 10, 15, 16, 26, 31, 34, 35, 48-64, 76, 83, 125
- cœur 56, *57*, 78, 116, 120
- enveloppe du cœur 31
- estomac 60, *61*, 77, 98, 101, 103, 117
- foie 54, *55*, 79, 104, 109, 117
- gros intestin 52, *52*, *77*, 116, 121
- intestin grêle 56, *57*, 78, 116
- maître du cœur 31
- péricarde 31, 58, *59*, 116
- poumons 48, *49*, 77, 106, 116, 120
- rate 62, *62*, 77, 98, 101, 102, 103, 117
- reins 34, 53, *53*, 78, 117, 118, 121
- triple réchauffeur 31, 58, *59*, 79, 116
- vaisseau conception 64, *64*
- vaisseau gouverneur 63, *63*
- vésicule biliaire 54, *55*, 79, 104, 107, 108, 117, 122
- vessie 10, 34, 50, *51*, 78, 92, 94, 95, 96, 107, 110, 113, 117, 121, 122

métal 17, 22, 24, 25, 30, 33, 36, 44, 45, 47, 69, 76, 120
- personnalité 41, 42, 45, 47

mises en garde 4, 123
moxa 123, 125
moxibustion 123

O
Ohsawa, George 9
Orgone 12

P
percevoir l'énergie 81
photographies Kirlian 81
points
- d'acupuncture 15
- *yu* 34

Polynésie 12
positions
- assise 90, 110-112
- sur le côté 90, 104-109
- sur le dos 90, 98-103
- sur le ventre 90, 91-97

prana 12
pratique *voir aussi* chaque manœuvre 90-122
préparation 71-81, 82
pressions
- de la paume 94, 101, 106, 110
- des pouces 87, 94, 95, 110

Q
qi gong 33, 125
questionnaire 43, 66, 67

R
Reich, Wilhelm 12
remarques complémentaires 123
rotations
- de la cheville 75, 96, 100
- de la hanche 99, 108
- de la taille 73
- des épaules 72, 104, 111
- du bras 111
- du cou 72, 11, 115
- du genou 74

S
sciatique 122
secouer les jambes 98
seiza 80
« Se tenir debout comme un arbre » 80
Sheldrake, Rupert 12
shen 13, 31, 125
shiatsu macrobiotique 9, 125
styles 9

T
taï chi 6, 123, 125
Tan tien 125
Tao 90, 125
taoïsme 14, 17, 65, 125
tapotements 114, 116, 117
techniques 82-89
terre 17, 21, 24, 25, 30, 32, 36, 45, 47, 69, 76, 98, 119, 120
- personnalité 40, 45, 47

test 43
théorie 6
toucher 85-86
tsubos 9, 16, 48, 87, 89, 94, 95, 110, 125

U
unités de mesure *voir aussi* cun 10, 125

V
ventouses 123
Vis medicatrix Naturae 12

Y
Yamamoto, Shizuko 9
yin et yang 14, 15, 17, 20, 31, 32, 33, 34, 35, 62, 113, 117, 125
yoga 33, 76

Z
zen shiatsu 9, 69, 76, 125

Remerciements

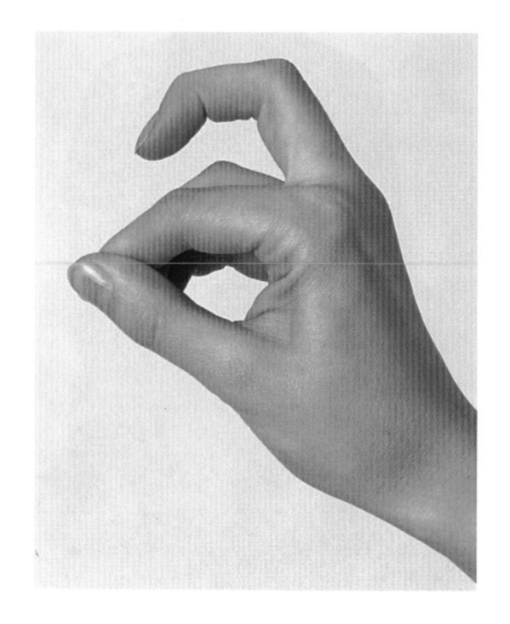

J'aimerais remercier ma femme Carol pour son amour, pour le soutien qu'elle m'a apporté durant ma formation et aussi pour m'avoir permis de pratiquer les techniques de shiatsu sur elle.

Je tiens à remercier également Sue Hix et Tom Litten du *Rosewell Shiatsu Center*, à Castle Bytham, Lincolnshire, pour l'excellence de leur enseignement et la patience qu'ils ont montrée à mon égard tout au long de mon apprentissage. Merci enfin à mon frère Mark qui m'a aidé à comprendre certains aspects biologiques de cet art.

Sources des illustrations